Autodisciplina Para Principiantes

Construye La Fuerza Y Comienza A Practicar El Ejercicio De
Motivación, Los Buenos Hábitos Y Logra Tus Objetivos

James Foster

documento, incluyendo, pero no limitándose a, - errores, omisiones o inexactitudes.

4

Table of Contents

Autodisciplina

Una guía definitiva sobre cómo ser más feliz, alcanzar metas y ser productivo disciplinando tu mente. Aprende cómo funciona el autocontrol y vence la procrastinación (Spanish Version)

INTRODUCCIÓN

¡Gracias por comprar este libro!

Gracias por comprar este libro o por mostrar interés.

Este libro explorará la definición del pensamiento excesivo y lo que puedes hacer para cambiarlo. Mientras recorres un camino paso a paso para aliviar el estrés de los procesos de pensamiento excesivo y negativo, podrás conocer las señales del pensamiento excesivo y cómo afecta a tu vida diaria.

La mayoría de las personas analizan en exceso las situaciones en cualquier aspecto de su vida, ya sea su carrera, sus relaciones, su falta de satisfacción o un flujo constante de tensión. En una vida sana, todos estos retos parecen inevitables, y si miras a tu alrededor, la gente parece haber aceptado que la vida y la ansiedad y la depresión siempre estarán asociadas, incluso en los mejores escenarios.

Desde que se escribió el libro seminal de Elaine Aron, El Humano Altamente Sensible, en 1996, cientos de miles de PAS (personas altamente sensibles) han empezado a darse cuenta de que su sistema nervioso finamente ajustado no les hace defectuosos para la vida. Aproximadamente entre el 15 y el 20 por ciento de la población tiene dificultades para bloquear las distracciones, por lo que el ruido, las multitudes y la presión del tiempo pueden dominarles rápidamente.

11

La PAS parece ser especialmente sensible al dolor, a las consecuencias de la cafeína y a las películas violentas. A las personas altamente sensibles también les provocan una ansiedad extrema las luces brillantes, los olores fuertes y los cambios de turno. Descubrirás cientos de nuevas estrategias de afrontamiento en este libro complementario de El individuo altamente sensible para mantener la calma y la tranquilidad en el entorno sobreestimulante actual, convirtiendo tu ansiedad en paz interior y alegría. Las PAS se plantearán crecer amedrentadas en una cultura que promueve la violencia y la sobreestimulación..

Disfruta tu lectura.

CAPÍTULO UNO. ¿QUÉ ES PENSAR EN EXCESO?

¿Cuántas veces has oído a un jefe, a un compañero de trabajo o a un

ser querido decir las palabras "deja de darle demasiadas vueltas" en el

pasado? En el pasado, tal vez la pregunta iba dirigida a ti, y respondiste

con algo como "por favor, explica lo que quieres decir" o "no sé si lo

estás pensando lo suficiente". Muchas veces, la comunicación es uno

de los principales factores que causan los malentendidos que se

producen entre las personas en las relaciones. Decimos una cosa, pero

se entiende de forma diferente. Esta complejidad se agrava cuando

caemos en el hábito de pensar en exceso, que simplemente toma y

procesa más información de la necesaria para completar una tarea determinada o encontrar un problema. Si tiramos de un abanico de información mucho más amplio que el necesario para las cosas que intentamos hacer, ya sea algo tan fácil como elegir la corbata adecuada o determinar si hay que romper con ese nuevo prometido, todos somos culpables de pensar en exceso y la mayoría de las veces nos hacemos la tarea mucho más difícil de lo que realmente debe ser.

Todos los pensamientos que pasan por tu cabeza dificultan incluso las tareas más sencillas, por lo que evitar la distracción se hace casi imposible. Pensar demasiado puede llevar a una mentalidad emocionalmente perjudicial, en la que empiezas a pensar negativamente en ti mismo, en las personas que quieres o incluso en el mundo. En tu mente, demasiada negatividad y ansiedad bloquearán cualquier posibilidad de pensamiento positivo o de encontrar el camino para convertirte en una persona más optimista y productiva.

Me complace emprender este viaje contigo, y sé que estás a punto de explorar muchas cosas sobre ti mismo como individuo. El simple hecho de que a partir de este libro hayas buscado ayuda es un importante primer paso audaz. Muchas personas siguen viviendo con el caos dentro de sus mentes durante toda su vida mientras intentan encontrar una existencia agradable. Pero nosotros vamos a ir mucho más allá. Vamos a abandonar la vieja mentalidad caótica y a buscar el camino de la comprensión.

El título del libro se refiere a encontrar un camino a través de la perturbación dentro de tu mente, pero no vamos a pasearnos cómodamente y dejar la confusión donde está. La mayoría de la gente es muy buena en algo que se llama "compartimentación", en la que las personas pueden almacenar deliberadamente diferentes procesos de pensamiento en distintas partes de su mente, y entrenarse para desatender un asunto mientras se centran en otro, con el fin de hacer frente a muchas fuentes de estrés, preocupación y pensamiento excesivo. Después de un trauma, muchos hombres y mujeres experimentan esto. Para detener la tristeza, se centrarán en algo positivo, como sus carreras, y no se preocuparán por el sufrimiento que hay que superar. La compartimentación es una evitación del tema perturbador y, aunque puede ser beneficiosa en las experiencias traumáticas, si queremos superarla, es importante hablar de lo que ocurre en nuestra mente. Así que, si estás preparado, ¡comencemos!

CAPÍTULO DOS. SOBRECARGA DE INFORMACIÓN

¿Has sentido alguna vez una sensación de agotamiento tras ser inundado con fotos, textos y vídeos de las redes sociales o de los sitios de noticias? A lo largo de los años, he conocido a mucha gente que admite que a veces se pasa un par de horas al día, hasta 5 ó 6 horas seguidas, navegando por Internet, leyendo las últimas noticias de los famosos, tal vez algunos mundos nuevos, desplazándose por todos los feeds de Facebook de sus teléfonos, viendo los vídeos de YouTube más trending o los vídeos musicales más recientes de sus artistas favoritos, leyendo todas las cosas desagradables que hay en Internet sobre mareos entre famosos y políticos... Tus ojos pueden ponerse vidriosos al cabo de un rato, y sentirse como si fueran de cristal por haber asimilado toda esa información.

La adicción a los medios sociales es una especie de término de moda que ha ganado popularidad a medida que los profesionales de la psicología y las ciencias sociales observan los efectos de los medios sociales en la mente de los seres humanos y en la sociedad en su conjunto. Nos hemos vuelto irremediablemente adictos a la sensación de "actualidad" que ofrece la exposición a los medios sociales. Cuando leemos un nuevo artículo sobre alguien que nos parece importante, nos sentimos parte de algo que está ocurriendo aquí y ahora, que es importante y urgente y está lleno de energía cinética.

El hecho es que no conocemos realmente a esos famosos, aunque decidan compartir con nosotros todos los detalles íntimos de su vida cotidiana. Quieren que veamos sólo esa parte porque así mantienen un inmenso número de seguidores y pueden ser recompensados por su exposición y acceso a enormes mercados por las grandes cantidades de dinero. A estos pioneros de las redes sociales se les llama "influencers", y el campo ya no se limita a las estrellas de cine o a las chicas multimillonarias y a los playboys. Ahora tenemos muchos grupos de nicho que siguen a un individuo concreto en las redes sociales por su atractivo como modelo de moda, humor u otras facetas de sí mismos que han decidido publicitar con éxito.

Entonces, ¿por qué pongo aquí esta tendencia de las redes sociales? Bien, este es un gran ejemplo de cómo podemos provocar una sobrecarga de información al recibir un bombardeo constante de información de Internet. Aunque la sobrecarga de información tiene una descripción muy lógica y fiable de su impacto en el cerebro, también puede describirse mediante un debate sobre cómo los medios sociales influyen en nuestra vida interior y en nuestras emociones, contribuyendo a nuestro sentido general del yo y de la autoestima en un mundo impredecible.

Adentrémonos en la madriguera del conejo en esta línea de pensamiento y veamos dónde acabamos.

Nuestro cerebro es tan complejo que apenas empezamos a comprenderlo. La información que llevamos a diario se olvida en gran medida y se desecha poco después de ser procesada. Cuando pasamos tiempo en las redes sociales, asimilamos un flujo infinito de información, que al mismo tiempo tiene un profundo impacto en la forma en que percibimos y se descarta como información inútil una vez que la hemos visto. Como se ha descrito anteriormente, cuando leemos información nueva en los medios sociales que parece ocurrir ahora, experimentamos un subidón porque todo el mundo quiere tener la sensación de que forma parte de la vanguardia de la realidad. A nadie le gusta ser el "último en enterarse" o, por así decirlo, sentir que estamos atrasados. En un sentido más general, simplemente nos sentimos aburridos muchas veces, y queremos algo de entretenimiento, ¿verdad? Bien, profundicemos un poco en esto.

¿Cómo es posible que esos adolescentes del centro comercial no sean capaces de mantener una sola conversación cara a cara sin tener que comprobar sus teléfonos cada pocos minutos? Vale, eso es parte de la adicción a las redes sociales, seguro. Pero, ¿cómo se formó esa adicción?

Cuando nos atiborramos de este tipo de información, tendemos a necesitar más y más información sensorial para satisfacer ese deseo y mantenerlo elevado. Con un poco de experimento, tú mismo puedes sentir esto.

Si sabes que eres una de esas personas a las que les gusta consultar Facebook o Twitter o Reddit o cualquier otra cosa de vez en cuando (o minuto a minuto), saca tu dispositivo móvil del bolso o del bolsillo o de donde está sentado a tu lado en la encimera y ponlo en otra habitación y asegúrate de que está silenciado. Déjalo allí y vuelve a este libro. Veamos un poco más adelante cómo te sientes. Eso puede darte una idea de tu propia relación con las redes sociales.

La adicción a las redes sociales es muy similar a la adicción a las drogas. Ese pequeño sonido que indica que tenemos un mensaje en nuestros teléfonos activa las mismas áreas de placer que algunas drogas activan en nuestro cerebro. Cuanto más desarrollemos una rutina y un hábito de revisar nuestros teléfonos y alimentar nuestro cerebro con imágenes y mensajes, más nos pedirá nuestro cerebro más... y más. Al final podemos llegar a un punto en el que nos confundamos y no sepamos realmente qué hacer con nosotros mismos si nuestro teléfono móvil se rompe o muere o lo perdemos en algún acto. Las pocas horas o días sin teléfono móvil se sienten como una dolorosa falta de conexión con el mundo y con la vida.

Pero lo importante es darse cuenta de que: todo es una ilusión. Esos sitios y feeds de las redes sociales están diseñados para mantenerte con ganas de más y para mantenerte adicto. Los profesionales del marketing saben lo que cuesta hacer esos anuncios en Facebook que anidan en tus feeds después de que hayas comprado algo similar en otra plataforma. Los periodistas saben cómo formular el título de una noticia para que hagas clic en ella y recibas visitas que se conviertan en dólares. Los influencers saben lo que les gusta a sus fans y les dan más de lo que les hace volver, ya sean consejos de belleza, parodias, sketches de comedia o de famosos, streams de videojuegos profesionales, etc. Todo el mundo tiene algo ahí fuera. Es el resultado de la tecnología moderna, que es increíblemente adictiva e inevitable.

Entonces, ¿qué tiene de malo la sobrecarga de información? Nos gusta ver YouTube y estar al día de la vida de la gente en Facebook, Twitter o Instagram, ¿qué hay de malo en ello? Bien, echemos un vistazo más de cerca a lo que ocurre en nuestro cerebro como

21

producto de la sobrecarga de información, y cómo puede afectar a aspectos importantes de nuestra capacidad de tomar decisiones.

CAPÍTULO TRES. SOBRECARGA DE INFORMACIÓN Y TOMA DE DECISIONES

¿Sabías que el 25% del tiempo de trabajo del trabajador medio se dedica a manejar el correo electrónico, según una encuesta realizada por el Instituto Global McKinsey? Seré sincero, no me sorprendió cuando leí esto por primera vez. Muchos de mis compañeros son expertos en diferentes campos y reciben cientos de correos electrónicos a la semana. Estar en la cima de esa montaña de comunicación me parece desalentador, y más aún si al mismo tiempo intentas hacer tu trabajo. Hemos hablado de la sobrecarga de información con respecto a las redes sociales, así que he empezado con este tema porque podría ser la forma más abierta de abordar el tema. Ahora, veamos la sobrecarga de información desde una perspectiva diferente a la que muchos de nosotros podemos relacionar: la sobrecarga de información en el trabajo.

Personalmente, no puedo imaginarme tratando de clasificar esa enorme cantidad de correos electrónicos en el escenario del correo electrónico, sobre todo si la mitad de ellos esperan una respuesta. Pero vayamos a esa situación. Trabajas en una oficina y recibes cientos de correos electrónicos al día, pero tu trabajo a menudo dicta que respondas al teléfono durante todo el día, guiando a cada persona que llama al número correcto, respondiendo a preguntas comerciales, etc.

Además, tienes que revisar una gran pila de documentos para rellenar la información financiera y los formularios de pago de los clientes. Parece que es un trabajo bastante pesado, ¿verdad? Supongamos que al principio estás muy abrumado, pero al final encontrarás la manera de manejar todo eso. ¿Y sabes qué? Se siente muy bien. Sienta muy bien sentir que eres capaz de manejar tanta carga de trabajo y salir con tu dignidad al final del día. Pero... ¿cuánta dignidad te queda al final del día? Puede que haya algo que aún no sepas. La abundancia de información tiene un impacto acumulativo en nuestra capacidad de decisión. Y la mayor parte del tiempo ni siquiera sabemos que está ocurriendo.

De adolescente, trabajaba en una cafetería y una de las cosas de las que me enorgullecía era mi capacidad multitarea. Finalmente, empecé a trabajar sola durante largos turnos, gestionando colas de clientes que a veces llegaban hasta la puerta y los pasillos. Pronto aprendí a trabajar muy, muy rápido. Hacía malabares con la preparación de bebidas y la gestión del dinero en efectivo como una especie de ninja del servicio de comidas. También estaba muy orgullosa de ello. Sentía que había trabajado mucho y que había conseguido algo que requería habilidad y delicadeza. Y es cierto que así es. El problema fue que al cabo de un tiempo empecé a notar signos de "agotamiento", que es el resultado final de la sobrecarga de información asociada a la multitarea persistente.

Al igual que el agotamiento por ver demasiados vídeos de YouTube a la vez, la presión que estaba ejerciendo sobre la capacidad de procesamiento de mi cerebro estaba siendo excesiva. Este agotamiento se manifiesta en un momento determinado al cometer errores. Tal vez me canse hacia el final de mi turno y haga un ajuste incorrecto para un cliente que entonces se frustra mucho, exacerbando y convirtiendo el cansancio físico y mental en cansancio emocional. Puedes empezar a ver hacia dónde se dirige esto. La sobrecarga de información conduce al agotamiento y a una mala toma de decisiones, incluso cuando no solemos saber que está ocurriendo.

Todos estamos familiarizados con la imagen de un "adicto al trabajo", un individuo que parece trabajar incansablemente, obsesionado con la idea de ser un perfeccionista en los trabajos que se le encargan, sin tomarse nunca un descanso. Lo que sabemos muy pronto es que esto no es aceptable, ni como observador ni como el propio adicto al trabajo. Nuestro cerebro empieza a dar señales de agotamiento. En esta fase podemos acordar que tenemos que bajar el ritmo o ignorar la advertencia y seguir trabajando. Esta es la situación en la que entra en juego la mala toma de decisiones.

La mala toma de decisiones puede aplicarse a muchas cosas diferentes, no sólo al trabajo, sino a nuestras relaciones con los demás. Como se ha comentado anteriormente en este libro sobre las causas del exceso de pensamiento, cuando se trata de nuestra vida personal, una inundación de conocimientos sobre cómo será una relación puede conducir a una mala toma de decisiones y sistemas de creencias. En algún momento, se hace muy difícil salir del conocimiento con el que hemos llenado nuestra mente para ver con claridad nuestras propias circunstancias.

Como muestra el ritmo de la gente, a muchas personas les gusta empezar creyendo que saben lo que una persona quiere y necesita, y luego, en algún momento de la relación, eso cambia ¿Se ve afectado ese cambio por lo que vemos en las relaciones con otras personas? ¿Esas representaciones irreales y adulteradas de la alegría y la perfección de los medios sociales? Personalmente, supongo que hay muchas posibilidades de que esto desempeñe al menos un papel importante en la eventual ruptura de muchas relaciones que podrían haber empezado con buena nota. No es descabellado suponer que, en una sociedad que anuncia a la gente el mensaje de que "tú lo vales" y que nunca debes conformarte en ningún momento de tu vida con menos que el sueño americano -una relación hermosa con un cónyuge hermoso y sexy, unos hijos estupendos, una casa enorme, un trabajo de ensueño y un coche decente-, los retos de una relación real impulsen a algunos a abandonar. Tal vez decidamos que sólo hay otra persona que nos dé la vida impecable, fácil y sin complicaciones que vemos en los programas de televisión.

Pero ciertamente no es así. Las relaciones reales requieren tiempo real, no sólo el champú adecuado o tratamientos faciales de cien dólares al mes.

Muchas decisiones tomadas en plena sobrecarga de información tienen efectos más graves y duraderos que otras. Nuestra mente intenta extraer la información esencial en medio de la sobrecarga de información para tomar una decisión de un conjunto masivo de información irrelevante y extraña. La probabilidad de tomar malas decisiones aumenta con el ritmo al que se espera que se tomen esas decisiones.

Por ejemplo, si tienes sólo tres segundos para decidir qué salida tomar en la autopista y tienes el GPS en el teléfono móvil, la radio a todo volumen en los oídos, los niños gritando en el asiento trasero y el coche de policía a toda velocidad con la sirena a todo volumen, definitivamente te cuesta mucho más tomar esta decisión que si conduces solo, con la radio a un nivel bajo de volumen de música y ya has determinado desde casa la salida que vas a utilizar. El cerebro no siempre distingue la información vital de la no vital como queremos. Esta sobrecarga de información puede volverse fácilmente desagradable si un conductor toma una decisión equivocada y se enfada. Ahora intervienen emociones, como la irritación, y esto sólo aumenta la gravedad de la sobrecarga de información, contribuyendo a una peor toma de decisiones.

Piensa en un controlador de tráfico aéreo en un entorno más profesional, que es responsable de muchos aviones que llegan al mismo tiempo. En el mejor de los casos, cada empleado está capacitado y acostumbrado a gestionar tal carga de trabajo, pero en una fracción de segundo, una mala decisión resultante de la sobrecarga de información afectará a la vida de cientos de personas.

El mensaje es claro: la sobrecarga de información puede dar lugar a una mala toma de decisiones que ha afectado no sólo a nuestras vidas, sino a las de varias personas.

Ahora que entendemos cómo la sobrecarga de información afecta a nuestro cerebro, pensemos en algunas estrategias que nos ayuden a salir de ella.

Alejarse de la sobrecarga de información

Como probablemente ya te hayas dado cuenta en tu vida, no es posible eliminar por completo el tornado de la sobrecarga de información que parece inundar todos los ámbitos de la vida moderna. Pero hay métodos para alejarse de la sobrecarga de información deshaciéndose poco a poco de las fuentes de esos desencadenantes en tu vida.

El primer paso es siempre comprender que esta afluencia de información repercute de algún modo en tu vida de forma negativa. Ya sea un sentimiento negativo, como la baja autoestima, o un problema de rendimiento en el trabajo, te has dado cuenta de que la sobrecarga de tu cerebro ha debilitado tu capacidad para distinguir lo que vale tu energía emocional y física y lo que no.

¿Cómo sabes que te has alejado de tu teléfono durante un par de minutos? ¿Te has olvidado de guardarlo? ¿Y has luchado contra el impulso de levantarte y comprobarlo? Cualquiera de estas respuestas es buena, ya que ahora sabes un poco más sobre lo inadvertida o activamente adicta que puedes haberte vuelto a tu teléfono móvil y a las aplicaciones que sigues utilizando constantemente durante todo el día.

Una de las mejores cosas que puedes hacer para poner en marcha esta bola es ceñirte a mantener el tiempo de tu teléfono limitado cada día. Aunque al principio sea sólo un poco, haz lo posible por sustituir el tiempo que pasas navegando por Internet en el teléfono por otras cosas, actividades que no requieran un ordenador. Sal de casa y da un paseo, escucha música suave sin letra, juega con tu gato o tu perro o cualquier otra mascota que tengas, o consigue uno de esos interesantes libros para adultos.

También puedes limitar tu multitarea. Parece que te digo que te tomes las cosas con calma o que trabajes menos. No se trata de promover la pereza. Descubrirás que cuanto más te comprometas a trabajar en una tarea a la vez, mayor será la calidad de tu trabajo. En lugar de hacer un montón de cosas a la vez con un resultado normal o por debajo del estándar, cumplirás una tarea e incluso superarás tus propios estándares de lo que creías que no podías superar.

Llama por teléfono y busca un momento para ir a un restaurante tranquilo o quizás a tu propia casa para reunirte con un colega para tomar un café. Comprométete a prescindir de los teléfonos móviles del otro, a silenciarlos y a conversar cara a cara. Intenta evitar los temas mediáticos y explora temas más importantes. Pregunta por su bienestar y por cómo se siente. Puedes acabar estableciendo conexiones que no has hecho en años.

Durante el trabajo, tómate un descanso al menos una vez cada hora de tu oficina para pasear, liberar tu mente y estirar las piernas. Puede parecer que esto no tiene nada que ver con la sobrecarga de información, pero trabajar en muchas actividades durante un largo periodo de tiempo parece desviar nuestra atención de la salud física. Estar sentado no es saludable para nuestro cuerpo, y ayuda a moverse mucho, aunque sea unos instantes, al menos una vez cada hora. Si hace un buen día, date un paseo por el lugar de trabajo, ve a por una cerveza o camina por el recinto. Te sorprenderá lo bien que te vas a sentir y es como darle a tu mente un reinicio en medio de una probable sobrecarga de información.

Por último, tómate un descanso de todas esas historias de fatalidad y pesimismo que se publican en las noticias sin parar. Es bueno mantenerse informado sobre lo que ocurre en nuestro país, pero puedes excederte. Los medios de comunicación pueden ser tan adictivos como las redes sociales y sobrecargarse con esa información puede provocar una sobrecarga de información lo más rápidamente posible. Es extremadamente importante controlar continuamente de dónde procede tu información noticiosa. Ten cuidado de a quién quieres seguir y de qué fuentes de noticias eliges para informarte. Investiga los hechos que dan, y comprueba si se ajustan a lo que tú piensas. Cruza los datos con otras fuentes de noticias, y comprueba si coinciden. No es algo fácil de hacer, pero puedes tomar medidas para protegerte de las fuentes de noticias que son menos creíbles.

Ahora que has tomado medidas para eliminar las fuentes de sobrecarga de información en tu vida, es el momento de abordar la cuestión de la sobrecarga que ya existe. En el próximo capítulo hablaremos de cómo despejar tu mente para dejar espacio a una perspectiva totalmente nueva de la vida.

CAPÍTULO CUATRO. DESPEJA LA MENTE

Sabes dónde están algunas de las mayores causas de sobrepensamiento, estás trabajando para erradicar o reducir lentamente los problemas que conducen a la sobrecarga de información en tu vida, y ahora es el momento de abordar la confusión dentro de tu mente.

El concepto de despejar la mente para poder centrarse en los objetivos de la vida o en las tareas diarias se ha hecho muy popular en los últimos años. Varios autores y conferenciantes han proporcionado mucha información y consejos sobre cómo la gente puede empezar a organizar, evaluar y luego eliminar el desorden no deseado de su mente. Estoy de acuerdo en que analizar y saber qué es lo que perturba tu mente es un primer paso importante en ese proceso. De ese modo, empezarás a relacionar ciertas fuentes de pensamiento excesivo con los pensamientos que circulan por tu mente. Limpiar las fuentes de sobrepensamiento es tan importante como eliminar los pensamientos individuales del cerebro.

Ten en cuenta que los seres humanos están programados para recibir información y procesarla. La mayor parte de esta información es obstinada, e induce respuestas emocionales que no pueden ser simplemente pulsadas y arrastradas como en nuestros ordenadores a la papelera de reciclaje. Entrar en una rutina y progresar realmente en la limpieza de tu mente y aprender a gestionar y medir la importancia de los pensamientos y sentimientos mientras sigues viviendo tu vida te llevará algo de tiempo y concentración.

Este viaje es el comienzo de un proceso que cambiará tu vida. El hecho de que ahora deseches el pensamiento irracional no significa que en el futuro no vuelva a intentar arrastrarte. Confía en ti mismo y en tu capacidad para no dejar de avanzar.

Entonces, ¿qué quiero decir con despejar la mente cuando lo digo? Sencillamente, no hay forma de que puedas empezar a desarrollar mejores hábitos y más positividad sin limpiar primero los pensamientos que obstaculizan tu progreso. La mayoría de los sentimientos y patrones de pensamiento repetitivos están relacionados con las emociones que nos frenan e incluso bloquean nuestras percepciones de lo que realmente está ocurriendo. Ya hemos hablado de cómo la influencia externa y el dolor emocional pueden manifestarse en una visión o evaluación distorsionada de un ser querido, un compañero de trabajo, un padre o incluso un niño.

Muchas personas reciben tanta información negativa del mundo que pierden todo el sentido de la confianza o el respeto por las personas, ¡incluso por los desconocidos! Por supuesto, cuando se trata de encontrar y formar conexiones reales con otras personas, esto es muy restrictivo. Las personas que automáticamente empiezan a desconfiar y a faltar al respeto a los demás se aislarán inevitablemente, lo que les llevará a una ansiedad mental y una depresión aún mayores.

El hecho de que la soledad y la depresión estén relacionadas de muchas maneras está atestiguado por la mayoría de los psicólogos. Los seres humanos, desde que nacemos hasta que morimos, somos animales sociales. Durante mucho tiempo dependemos de nuestros cuidadores. Una vez que nos volvemos autosuficientes, dependemos de los demás para mantenernos vivos. La sociedad puede ser muy diferente ahora de lo que era hace tantas décadas, pero de nuestra relación y conexión con otros seres humanos, seguimos obteniendo placer y una importante satisfacción en la vida.

Menciono estos puntos porque, en mi opinión, una mente desordenada es ciertamente una forma de soledad. Habla de ti como si estuvieras enterrado bajo un enorme montón de pensamientos que en realidad tienen poco impacto en el curso de tu vida. ¿Qué fue lo que dijo Cardi B esta semana? Debería conseguir la receta que he visto en Facebook para esa cena. No puedo creer que Drake haya vuelto a decir eso. ¿Es mi barriga demasiado grande? ¿Cómo puedo perder peso como los famosos? Mi jefe se ha enfadado conmigo por el chiste que he dicho hoy en la comida... bla, bla, bla.

Esos pensamientos pueden sonar o no en tu cabeza, pero apuesto a que verás una tendencia si te sientas y piensas realmente en muchos de los pensamientos que te siguen viniendo. También verás que, en términos de tu rendimiento o progreso en la vida, estos pensamientos o esta secuencia de pensamientos realmente no te aportan nada.

Desde nuestro punto de vista, muchos de estos sentimientos de aglomeración son ejemplos de lo que los vendedores quieren que pienses. Cuando te preocupas tan a menudo por algo de tu vida o de ti mismo, puedes tener la tentación de comprar productos que te ofrezcan una mejora inmediata. Es importante distinguir cuáles de tus procesos de pensamiento normales se originan en ti, y los que se originan en el exterior, como un anuncio de Facebook o una tendencia de Twitter. En el último capítulo, hablamos de pensar y clasificar en función de tu sobrecarga de información. Ahora vamos a hablar de un proceso similar, sólo que vamos a hablar de los pensamientos desordenados que ya están en tu mente.

Efectos de una mente desordenada a lo largo del tiempo

En los capítulos anteriores hemos hablado con detalle de que la sobrecarga de información basada en el marketing puede provocar sentimientos y emociones negativas hacia ti y hacia los demás. Los vendedores esperan convertir esta respuesta emocional negativa en un incentivo para comprar sus productos para solucionar esos problemas.

Así que ahora vamos a ver con más detalle cómo una mente desordenada y la sobrecarga de información pueden tener un efecto en el cerebro a lo largo del tiempo.

Puede que te hayan informado de que la nueva compañera de trabajo en la oficina, llamémosla Jessica, presume de su brillantez en la multitarea. Parece que vuela fácilmente a través de sus tareas en una sola mañana y las termina rápidamente, mientras que a otros les resulta difícil completar una o dos tareas antes de la pausa para comer en la organización. Jessica puede tener la impresión de que le da a su mente cuatro, cinco o incluso seis tareas diferentes, y su cerebro se mueve a través de todos estos deberes de una manera oportuna y sin esfuerzo a la vez. Bien, tengo que decírtelo. Jessica está simplemente... ¡equivocada!

El cerebro humano sólo puede concentrarse en una cosa a la vez. Así es. Una persona puede aprender a pasar con la velocidad del rayo de una cosa a otra, pero sigue concentrándose sólo en una cosa a la vez. Básicamente, a lo que se reduce una multitarea brillante es a que Jessica hace muchas cosas en poco tiempo, dedicando muy, muy poco tiempo a cada trabajo en particular. Por tanto, el problema se convierte en uno de calidad frente a cantidad.

Este tipo de movimiento rápido de una tarea a otra, dependiendo del tipo de trabajo, puede ser incluso una concentración que permita hacer el mismo trabajo una y otra vez sin frustrarse demasiado de él. A los trabajadores de las fábricas se les exige, durante sus turnos, que realicen la misma función una y otra vez. Para estar a la altura de tal exigencia, se necesita una mente concentrada y constante, ¡o de lo contrario podría dosificarse!

Aunque Jessica parece estar haciendo un gran trabajo, lo cierto es que su "multitarea" aumenta las posibilidades de cometer un error. Cuando esto ocurre, puede provocar una frustración personal, porque hasta ese momento, Jessica ha juzgado su rendimiento en función de lo que está haciendo, sin preocuparse realmente de la calidad del trabajo que está realizando. Especialmente en el entorno extremadamente competitivo de hoy en día, un error en el trabajo puede provocar una gran frustración emocional, que se lleva a casa y se convierte en tensión de un lugar a otro. Este es un síntoma común de una mente desordenada. Esto ocurre cuando no puedes dejar de preocuparte por el trabajo, aunque estés cenando con tus hijos en casa, entonces estás perdiendo una de las mayores alegrías de la vida: pasar tiempo de calidad con tus hijos.

Si es así, no te desanimes. Es bastante común, y ciertamente hay formas de manejarlo. Pero por ahora, vamos a dar algunas explicaciones más sobre por qué una mente desordenada es perjudicial con el tiempo.

Al igual que hablamos de la sobrecarga de información en el capítulo anterior, el exceso de información provoca una mala toma de decisiones. Si reducimos la carga o eliminamos por completo este factor desencadenante de la sobrecarga, empezaremos a ver cómo las emociones que ya tenemos en la mente nos influyen en la actualidad. Piensa en ello. ¿Cuánto tiempo hace que te fascinaste con tal o cual área de tu vida? Si ya has encontrado la causa de la sobrecarga en tus recuerdos de la infancia o la adolescencia, la respuesta es mucho tiempo.

Cuando nuestros pensamientos vuelven a sonar y contribuyen al caos que ya llena nuestro cerebro, se hace más difícil discernir entre lo que son buenos hábitos y lo que es malo en términos de procesamiento del pensamiento. Podrías suponer, por ejemplo, que una actitud general de desconfianza, incluso en el trabajo, te protege contra posibles amenazas o riesgos. Pero mira más a fondo y observa la otra cara de ese argumento: ¿qué te pierdes? ¿Y te sientes feliz o infeliz por esa actitud? Despejar tu mente consiste en eliminar esos pensamientos que te afectan negativamente. Los resultados pueden ser mentales, físicos, psicológicos, etc. La forma en que las emociones pueden afectarte con el tiempo es impresionante.

Los mecanismos de defensa perjudiciales

La mayoría de las personas que comprenden los procesos de pensamiento negativo, pero no saben cómo enfrentarse a ellos, se transforman en formas de afrontamiento poco saludables que pueden conducir a graves problemas de salud. Beber, fumar y consumir drogas ilícitas son algunas de las más populares. ¿Cuántas veces has visto en una serie dramática a la protagonista demostrar que quiere un cigarrillo para afrontar el estrés de una situación?

Tal vez, después de que ocurra algo terrible, un personaje que parece haber dejado de fumar se escapa al patio para fumar rápidamente. Cuando se trata de lidiar con una mente desordenada, estos remedios rápidos hacen mucho más daño que bien. Puede que te sientas muy bien al olvidarte de ellos mientras tanto, pero nunca desaparecerán realmente sin resolver tus pensamientos y comportamientos, y necesitarás medidas cada vez más fuertes de tu estrategia de afrontamiento para alejar esos pensamientos.

Otra forma en la que la gente trata de desconectar su propio cerebro es llegando a casa y desconectándose frente a la pantalla del televisor. Te sientes muy bien al llegar a casa después de un duro día de trabajo y, en lugar de abordar el problema que has tenido con tu jefe o hablar con tu cónyuge para tomar una decisión importante y estresante, te tiras literalmente en el sofá para darte un atracón de una serie de Netflix que siempre has querido ver. Una vez más, la acción es sólo preventiva, no un remedio. Habrá que seguir abordando esos problemas una vez que haya terminado esa sesión de atracones, aunque huir durante un breve periodo de tiempo haya sentado bien.

Sin embargo, más allá de huir, piensa en la calidad de una vida llena de comportamientos irreflexivos y molestos. ¿Hacia dónde creces realmente? ¿Cuál es tu intención y tu sentido? Definitivamente no es vegetar comiendo comida basura todas las noches. Despejar tu mente significa volver a tus ambiciones, intereses, deseos y creencias de la vida real. Ahí están, cubriendo toda la confusión interior. ¡Así que vamos a aclararlo para poder llegar a la parte buena!

Vamos a despejar

El cerebro sólo puede realizar una tarea a la vez, como he dicho. Así que para analizar un grupo de procesos de pensamiento perturbados en tu mente, tenemos que dedicar un tiempo a anotar todos aquellos pensamientos que nos resulten inútiles, negativos, hirientes o irritantes. Ten en cuenta que no siempre se trata de desmenuzar un pensamiento que nos afecta negativamente, sino que a veces tenemos que desbrozarlos y abordarlos directamente para disipar su poderosa influencia.

Una vez que tengas una lista delante, es el momento de echar un vistazo a cada uno y sentir cómo te afecta ese pensamiento. La clave para eliminar un proceso de pensamiento negativo es comprometerse a interrumpir el pensamiento cada vez que venga a tu mente. Si empiezas a pensar en esa mujer que crees que ayer coqueteaba con tu marido, detén el resentimiento que brota y pregúntate: "¿Me ha dado mi marido alguna vez la base para creer que me engañaría?". ¿Con qué frecuencia me dice 'te quiero todo el día'? ¿Un diálogo sobre el sentimiento me libraría de la inseguridad que siento en mi interior?" La mayoría de las veces, una breve conversación puede ser todo lo que se necesita para ayudar a los sentimientos profundamente hirientes. Recuerda que es tu elección en la vida. Si realmente estás en una relación en la que tu pareja está continuamente en entredicho, ha llegado el momento de dar un paso valiente sobre qué hacer al respecto. Antes de aceptar, no te regodees en un intenso dolor durante otros 10 años.

Mirando cada elemento de tu lista, escribe en otra columna junto a él un sentimiento positivo que elimine esencialmente la emoción negativa relacionada con ese mal pensamiento. Por ejemplo, si piensas incesantemente en lo bien que haces tu trabajo y temes no ser lo suficientemente bueno, imagina que consigues una tarea difícil y llamas a tu supervisor a la oficina para que te aplauda.

Tal vez te resulte difícil centrarte en las cosas buenas que ocurren en el mundo porque todas las fuentes de noticias que lees sólo hablan de los desastres. Investiga un poco y busca algo sorprendente que esté ocurriendo en el mundo últimamente. Puede que no forme parte de los principales titulares, pero te prometo que siempre hay gente guapa haciendo un gran trabajo en el mundo. En este caso, la tarea de interrupción consiste en empezar a pensar en lo bueno que has descubierto cada vez que tu mente quiera ir a lo malo que ha ocurrido esa semana. No se trata de restar importancia a lo que ocurre en el mundo, sino de fortalecer tu estado mental para que puedas volver a ser una persona positiva y satisfecha. Conseguir que los sumideros minen la energía positiva de tu mente no es beneficioso para nadie.

Si le coges el tranquillo a este método, continúa hasta que acabes con dos columnas en tu lista. Los patrones de pensamiento negativos están representados en un panel, el opuesto abarca un proceso de pensamiento que lo interrumpe para combatirlo.

Me gustaría poder decir que el simple hecho de escribir estas cosas disipará automáticamente tu mente desordenada, pero vas a comprometerte a estar atento durante todo el día para poder detener esos sentimientos negativos o desordenados. Puede que algunos de esos pensamientos sólo desordenen tu mente y no estén vinculados a una emoción negativa. En este caso, la técnica de interrupción consistirá en ignorar por completo la idea cuando llegue a la mente. Por último, haber eliminado las fuentes de sobrecarga de información debería contribuir en gran medida a deshacerse de los simples pensamientos irrelevantes.

Permíteme decirte que, si has intentado atajar todos los pensamientos desordenados que se te ocurren en la cabeza, seguro que has recorrido un largo camino desde el estado en que te encontrabas hace un par de horas. Al principio, puede resultar difícil, pero a medida que practiques esta rutina de interrupción del desorden y los pensamientos negativos, pronto empezarás a ver los cambios positivos. Se convertirá en algo más rápido y, en última instancia, automático.

De hecho, el cerebro es muy versátil. La investigación científica ha estudiado en los últimos años el rasgo del cerebro llamado neuroplasticidad. Si sustituyes los pensamientos negativos por pensamientos positivos, ¡el cerebro se reconecta literalmente! Toma esto, Jessica.

Ahora que empiezas a dejar atrás los pensamientos que habían atestado tu mente durante años, quizá incluso décadas, ha llegado el momento de pasar a algo mucho más interesante.

CAPÍTULO CINCO.
ENCONTRAR TU VERDADERO
OBJETIVO, PROPÓSITO, PASIÓN
O META

Se ha definido en diferentes términos de muchas maneras: nuestros propósitos para vivir o la mejor parte de la vida. Nos levantamos cada día por nuestros pensamientos o emociones o deseos de perseguir nuestro objetivo. Tal vez obtengamos mucha alegría practicando sólo un pasatiempo. Sea lo que sea lo que quieras explicar, ahora es el momento de empezar a pensar en cómo llenar ese espacio vacío, en el que una vez echaron raíces los pensamientos desordenados de tu mente. Es el momento de hacer otro ejercicio de pensamiento.

Piensa en cuando eras un niño o quizás un adolescente. ¿Había algo en tu vida que te diera alegría en la infancia? ¿Había un deporte, un talento o una afición que perfeccionabas la mayor parte o todo tu tiempo de ocio? Puede que te haya gustado leer y que hayas leído montones y montones de libros cada año durante las vacaciones de verano. ¿Te gusta sobre todo bucear? ¿Juegas al baloncesto o al béisbol? ¿Montar a caballo? ¿Dibujar y pintar? Tal vez lo que te apetecía hacer cada día era charlar y reír con los amigos. Sea lo que sea, quiero que me traigas a la memoria, si es posible, una época en la que hacías todo lo que querías hacer. ¿Cómo te hacía sentir eso? ¿Recuerdas la alegría que te daba?

La mayoría de la gente lucha con esta falacia de que cuando nos hacemos adultos la felicidad que sentimos en la infancia desaparece para siempre. Esto no puede estar más lejos de los hechos. Cada uno de nosotros sigue teniendo ese niño dentro, y una vez que llegamos a cierta edad, no es una fase necesaria de la vida que abandonemos eso. La mayoría de la gente ha conseguido una carrera exitosa y satisfactoria a partir de sus pasiones infantiles. Revivimos la alegría que sentíamos cada día cuando éramos niños, sólo que ahora, ¡nos pagan por ello!

No tenemos que renunciar a la independencia mental de un niño, al juego, al entusiasmo, a la emoción, a todos los aspectos más preciados sólo porque ahora seamos adultos. Quiero que recuerdes las cosas que te entusiasmaban de niño, porque ahora es el momento de averiguar cómo hacer que esa felicidad se manifieste en tu vida. No me refiero a intentar revivir el pasado ni a volver a ser un niño. Lo que digo es que los adultos experimentarán la alegría y la emoción igual que un niño. Es sólo la cultura y otras mentes desordenadas las que nos dicen que no hay lugar para esas cosas. ¡Demostremos que se equivocan!

Vuelve a sacar el papel, quizá dando la vuelta a la hoja que utilizaste para trabajar en el ejercicio anterior. Crear una lista de las cosas que te gustaba hacer de niño puede ser útil al principio. Tal vez vayas a buscar algunas viejas películas caseras o fotos de tu ensayo de baile o de la tropa de niños exploradores, etc. Tómate un tiempo para anotar cuánta felicidad te han aportado estas cosas. Piensa en las cosas que te gustan hacer ahora. ¿Cuándo fue la última vez que tuviste tiempo libre para dedicarte a algo que te gustaba hacer? Si ha pasado mucho tiempo, quizá tengas que pensar un poco más en lo que te gusta hacer. No te desanimes. Siempre puedes elegir algo sobre lo que te gustaría saber, ¡quizás esto se convierta en tu nueva afición!

Escribe algunas cosas en las que te gustaría concentrarte como estrategia para devolver la felicidad y la relajación de la infancia a tu vida. Es posible que haya muchas cosas que te hagan disfrutar, pero es crucial no agotarse. Mucha gente no podrá simplemente dejar su trabajo y empezar a seguir sus intereses a tiempo completo (¡no sería divertido!), así que elige una o dos cosas que te gustaría incorporar a tu vida.

Lo último que harías es convertir tu pasión en una tarea, así que cuando sugiero sacar algo de tiempo para dedicarlo a tu felicidad, creo que puedes intentar priorizar hacer cosas sólo para ti cada día. Eso puede ser tan sencillo como echarse una siesta. Sacar tiempo libre para ti es una forma perfecta de trabajar con la estrategia de interrupción de la que hemos hablado antes para reinventar la forma en que el cerebro interpreta tu vida cotidiana. Si te levantas cada mañana con el miedo interior de tener que levantarte y conducir hasta el trabajo a diario, esta experiencia te resulta familiar. Puede parecer una tarea inalcanzable ahora, pero te garantizo que habrás descubierto, al final de este libro, los pasos esenciales para comprender una vida cotidiana productiva y plena.

Si eres alguien como yo que necesita orientación, empieza por encontrar y hacer cursos relacionados con algo que hayas querido aprender o probar. Si hace un par de años que no dibujas nada y te gustaba dibujar, busca un aula privada, quizá un aula comunitaria en tu zona, ¡y puede que encuentres algunos amigos con mentes afines! Descubrirás que cuanto más crecimiento profesional busques, más naturalmente encontrarás lo que te hace feliz. Una vez que hayas aprendido a ser consciente de tus procesos de pensamiento, porque había demasiados pensamientos en el camino, con el tiempo empezarás a notar cosas en las que no habías pensado antes.

CAPÍTULO SEIS. DESPEJA TU ENTORNO

¿Alguna vez viste venir esto (antes de mirar el esquema de este libro)?

Te preguntarás, ¿qué tiene que ver mi exceso de pensamiento con una casa limpia? Pues la respuesta es: ¡tiene mucho que ver!

En realidad, nuestro entorno nos afecta de formas significativas que no siempre son visibles ni se sienten inmediatamente. Un empleado que tiene que desempeñar sus funciones en un ambiente desagradable, sin duda rendirá menos que otro empleado en un entorno limpio y confortable.

Piensa en el aspecto que tiene (¡espero que hayas realizado esto al menos una o dos veces!) después de una limpieza a fondo de tu casa. ¿No te sientes bien al mirar alrededor de tu recinto y del interior y ver una casa limpia? Esto eleva el espíritu y despeja la mente, al igual que el espacio físico antes de curarte. A veces, el desorden de nuestro entorno puede tener una influencia directa en el desorden de nuestra mente. ¡Preparémonos!

Ten en cuenta que ésta no es otra solución única para todos. Cuando se trata de la gestión del hogar, cada persona tiene un tipo de cuerpo, un estilo y un nivel de comodidad diferentes, y tener una casa limpia no garantiza necesariamente un gran aumento del rendimiento. La verdad es que sólo puedes cambiar tu actitud despejando tu casa, así que ¿por qué no hacer ese esfuerzo?

Si vives con un amigo, un ser querido o un compañero de piso, vais a querer discutir esta estrategia antes de empujarlo todo o tirarlo. Si se trata de una sala de estar común, debería ser un esfuerzo colectivo.

Es muy posible que tus compañeros de piso estén de acuerdo después de que le expliques lo que te gustaría hacer.

Pero antes, veamos por qué reorganizar y despejar la casa puede ser vital.

En el último capítulo, abordamos cómo las personas con comportamientos distraídos o poco saludables pueden tratar de evitar pensar en exceso. Pues bien, el desorden y la desorganización son buenos indicios de que hay ciertas cuestiones en la mente que deben abordarse y organizarse. A veces, nuestro entorno externo es una representación del mundo en nuestra mente.

Mira tu casa o tu lugar de residencia personal. ¿Cómo te sientes con el aspecto que tiene ahora? ¿Te hace sentir triste? ¿Abrumado? La mayoría de las veces, nuestra falta de disciplina, cuando empieza a sentirse como si no pudiéramos manejarla, se nos puede ir de las manos. Tratar de abordar las consecuencias externas antes de abordar los efectos internos del exceso de pensamiento, la fatiga, la ansiedad o la depresión es siempre contraproducente. Si no abordas el ciclo del pensamiento y los malos hábitos, aunque te esfuerces en limpiar tu entorno, existe la posibilidad de que empiece a tener el mismo aspecto que tenía días o incluso semanas antes.

Si has visto el programa de televisión Hoarders, te habrás dado cuenta de que gran parte del comportamiento de un acaparador tiene que ver con la conexión emocional con algún tipo de experiencia traumática en su vida. Si este es tu caso y has tomado medidas para mejorar el modo en que se procesa tu pensamiento, entonces estás en una posición fuerte para empezar a hablar de tu salón personal.

Ten en cuenta que este método es aplicable sobre todo a quienes necesitamos ayuda con algo que se ha convertido en una misión abrumadora. Puede que no tengas problemas para mantener tu casa limpia y ordenada, y eso es fantástico. Mi consejo para los que pueden ser identificados de este modo sería que pensaran en añadir otra dimensión a su casa que fomente la relajación y el confort. Tal vez puedas prestar atención a una pequeña planta durante la semana, o puedes poner una placa con una cita inspiradora en la pared donde la veas todos los días. Cualquier tipo de pequeño recordatorio que puedas ofrecerte cada día mientras avanzas en tu viaje puede ser un enorme impulso para tu confianza.

Pero si eres uno de los muchos que piensan que tienes una tarea enorme entre manos, vamos a empezar desde el principio.

Lo primero es dar un paso atrás y aceptar que debes ir paso a paso. No mires todo el edificio y te sientas desanimado por no poder organizar nada. Tienes que empezar por una sola habitación, tal vez el espacio más pequeño.

Mira toda la habitación, y reflexiona sobre cómo se ha ensuciado así y por qué está ahí. ¿El mero hecho de mirar tus cosas te produce una punzada de incomodidad o tristeza? Si es así, seguro que eso se aborda.

Necesitarás un par de cajas o bolsas diferentes, porque cada cosa está destinada a un futuro distinto. Encontrar a alguien de confianza puede ser útil para ayudarte a determinar cuál es.

Una de las cajas debe estar marcada como donación y son los objetos que no necesitas en un estado razonablemente bueno. No se trata de darle un uso en el futuro, o no. Si ha estado ahí durante mucho tiempo, y no lo has visto, es posible que no lo vuelvas a necesitar. Por favor, deshazte de él.

También necesitarás una bolsa de basura. Incluso cuando hemos desarrollado emociones negativas asociadas al apego, puede resultar difícil desprenderse de las cosas a las que nos hemos aferrado durante mucho tiempo. Al despejar tu entorno, piensa en tus objetivos. Sopesa el valor de tal o cual cosa en tu vida frente a lo que intentas conseguir. Si la reacción emocional relacionada con ese objeto entra en la categoría de obstáculo de tu viaje vital, entonces debes deshacerte de él. Si no te atreves a tirar nada a la basura o a donarlo, tal vez algún conocido pueda quedárselo. Sin embargo, aferrarte a él no hace más que retenerte.

Hay que incluir una tercera, una cuarta y quizá una quinta caja para los objetos que tengas y que necesites ordenar. Quizá en esta habitación haya algo que tenga más sentido en otra, etc. Hasta que reorganices estas cosas, querrás levantarlo todo del suelo o de la habitación para que, después de quitar el polvo de las esquinas del techo para deshacerte de las telarañas, de los ventiladores de techo y de las persianas, puedas quitar el polvo o barrer el suelo y limpiar las mesas u otras superficies de todo el espacio n la habitación. Considerarás que organizar y redecorar el espacio es mucho más divertido una vez que esté bien limpio.

Ese es el ciclo que vas a seguir durante el resto de tu habitación. Tómate un descanso si empieza a ser estresante. No tienes que hacer todo eso en un solo día. Sigue recordando el gran e importante paso que estás dando para mejorar tu vida

Las áreas como la cocina y el baño pueden ser las más exigentes. Cuando intentes limpiar las superficies, recuerda retirar y ordenar los objetos, ya que esto sólo te frustrará y contribuirá a que el nivel de limpieza no sea el óptimo. Si estás bien de dinero, puedes considerar la posibilidad de contratar un servicio de limpieza profesional para que venga a limpiar sólo algunas de las habitaciones más exigentes de la casa. Si están muy sucias, no te sientas avergonzado. Sólo asegúrate de retirar y desechar las cosas que necesites para que no estorben. La mayoría de los servicios pueden ofrecer grandes tarifas de cortesía y paquetes de servicios únicos para los nuevos clientes.

Hay muchas formas de deshacerte de las cosas que sabes que no necesitas o que no utilizas. Ya he mencionado las donaciones. Las cajas de donaciones se pueden vender en tiendas como Goodwill o el Ejército de Salvación. Si tienes cosas como ropa de niños o juguetes, quizá haya una iglesia a la que debas donar. Otra opción es una venta de garaje. Gana un poco de dinero por esas cosas y ten por seguro que otra persona podrá hacer buen uso de ellas.

MINIMALISMO

Me gustaría presentar un principio y un estilo de vida que se ha hecho cada vez más popular en los últimos años. No estoy diciendo que nadie que lea este libro deba deshacerse al instante del 90% de sus cosas y seguir este estilo de vida, pero creo que te va a abrir la mente al potencial y a la mentalidad positiva que cultiva el minimalismo para hablar de este tema.

El minimalismo es un concepto sencillo, muy básico. Los profesionales se despojan de las necesidades más básicas de la vida para convertirse en el estilo de vida más fácil y natural.

Puede que hayas oído hablar de una película en Netflix estrenada en 2015, titulada Minimalismo: Un documental dirigido por Matt D'Avella sobre las cosas importantes. Es una gran introducción a este movimiento y, si estás interesado en saber más, te la recomiendo encarecidamente.

Los sistemas de creencias y los motivos para pasar a un estilo de vida minimalista difieren de una persona a otra. Muchos tienen otras creencias y valores tradicionales, como cuidar de su entorno y minimizar sus propias "huellas ecológicas" en la tierra. La mayoría de los profesionales son adultos jóvenes que se han "quemado" (¿te suena?) en nuestra actual carrera de ratas profesional y económica y que simplemente han recurrido a una transferencia de atención drástica tras descubrir que no les gustaba la dirección en la que iban.

Esta toma de conciencia es similar en muchos aspectos a la que puedes haber tenido antes de empezar a leer este libro: que tu forma actual de vivir con una mente atestada de pensamientos es el epítome de lo que quieres de la existencia, o de tus ambiciones, o de tu felicidad, o de todas estas cosas combinadas. Alejarse del estilo de vida excesivamente materialista, caótico y agotador de la ganancia incesante es una transición hacia el minimalismo. Es un rechazo a todas esas cosas que te rodean y que conforman una jaula y una adicción por más.

A medida que eliminamos los objetos que nos han aprisionado emocionalmente, como un drogadicto que decide hacer un cambio y deshacerse de las cosas no deseadas, nos espera una enorme ola de liberación y clarificación que reclamar El minimalismo es quizá el mejor ejemplo de cómo lo que ocurre en el interior de nuestra mente puede coincidir con lo que ocurre en nuestro entorno inmediato. Casi puede representarse como una práctica espiritual en la que te dedicas el resto de tu vida a mantener la mentalidad de claridad y presencia cada día. A tu alrededor, el estilo de vida sencillo es un recordatorio constante de los cambios mentales que se han producido.

Por supuesto, el dinero es una de las adicciones más poderosas de la sociedad moderna. Si tuviera que adivinar, asumiría que tu lista inicial de pensamientos de hacinamiento contenía preocupaciones financieras, probablemente cerca de la cima. Y eso tiene sentido, ¿verdad? Hoy en día, sobrevivir sin dinero es difícil. Y todo cuesta cada vez más a medida que envejecemos, y cuanto más conseguimos. Esas inversiones que debían aportarnos comodidad e independencia resultan ser trampas de dinero, como nuestros coches. Algunas personas creen que necesitan el todoterreno más grande del mercado para adaptarse a su estilo de vida urbano sin hijos... vale, puede que me salga del tema. Pero, ¿ves hacia dónde me dirijo?

La actitud de necesitar más, más, más no conduce más que al aburrimiento, la incertidumbre, la depresión y una mente agotada y afectada por todo lo que intenta decirnos lo que necesitamos. Si sólo tuviéramos la última versión del iPhone, ¡todos nuestros problemas desaparecerían! ¡Estaría más guapa si me cambiara el pelo y me hiciera mechas y la vida sería más sencilla! Si consiguiera el empleo y trabajara más horas, ¡sería más feliz y estaría más sano! Podría seguir la lista eternamente.

Ahora la mentalidad detrás del minimalismo está más clara. No se trata sólo de deshacerse de cosas para ahorrar dinero, aunque esto es una ventaja. Se trata de liberar tu mente del caos que la vida te arroja: las cosas que erróneamente se cree que traen las cosas que se encuentran sólo en las relaciones e interacciones personales, la imaginación de la reflexión, los sistemas de creencias, etc. En realidad, el dinero no puede comprar la felicidad. La felicidad en sí misma es algo fluido que se produce de forma natural a partir de encuentros en la vida personal que rara vez tienen mucho que ver con el dinero.

Entonces, ¿qué tan serio es eso del minimalismo? Vale, si te interesa, hay todo un mundo nuevo de lo que se reconoce como "casas diminutas" que está ganando popularidad. Vale, estoy seguro de que esto es probablemente demasiado extremo para ti en este momento, pero comprobarlo si te interesa sigue siendo algo fascinante.

Las casas pequeñas son precisamente eso: muy, muy pequeñas. Pueden ser tan pequeñas como tu cuarto de baño y sólo ofrecen el mínimo de comodidades modernas. Tienes un lugar para dormir, un lugar para preparar comidas sencillas, quizá una pequeña zona para guardar muy, muy pocas pertenencias y... ¡eso es todo! Pero si lo analizas, no está tan lejos de vivir en una autocaravana, que es otra forma muy común de liberarse del estrés y la presión financiera del mundo moderno. (Una autocaravana no da mucho más de sí que una casa pequeña, y además es móvil).

La idea es que la gente no necesita realmente todas esas cosas que los anunciantes nos dicen que necesitan. De hecho, podemos vivir con una dieta muy sencilla de alimentos buenos, seguros y respetuosos con el medio ambiente, y con la alegría de estar cerca de nuestros seres queridos. Aplicar esta teoría a tu propia vida podría ayudarte a ver lo triviales y poco importantes que eran muchas de tus preocupaciones y desvelos del pasado. Estamos condicionados a sentir el vacío, y sentimos la necesidad de llenarlo con cosas. Cuando esas cosas empiezan a abarrotar nuestras casas y espacios personales, podemos ver un paralelismo directo dentro de nuestra mente entre este mundo y lo que ocurre en nuestro interior.

Despejar tu casa y dar paso a un nuevo comienzo es importante para ayudar a tu mente en su esfuerzo por desordenarse. Tómate el tiempo que necesites para dar este importante paso y pronto estarás preparado para construir un nuevo y mejor tú.

Una vez que hayas tomado medidas para despejar tu casa, verás que no sólo eres capaz de moverte por tu habitación con más facilidad, ¡sino que tu pensamiento se vuelve más claro! Por una razón, todas estas medidas se incluyen juntas y te irán bien a medida que avances.

Mira alrededor de tu casa una vez que hayas llegado a este punto, y respira profundamente. Éste es tu nuevo lienzo diseñado para crear tu vida de la forma que has querido vivir.

El siguiente paso en nuestro viaje es empezar a centrarnos en cómo formar buenos hábitos que mantengan tu victoria continuada sobre el exceso de pensamiento y la sobrecarga de información Algunas personas nunca llegan a este punto, así que date una gran palmadita en la espalda. También puede ser un buen momento para reflexionar sobre las personas que están muy cerca de ti en tu vida. ¿Tienes un ser querido o un amigo íntimo de la familia que parece estar en el mismo barco que tú en cuanto a sobrecarga de información y exceso de pensamiento? Tal vez puedas reclutar a un compañero para que te ayude a desarrollar buenos hábitos mientras trabajas. De paso, ¡podrías cambiar radicalmente otra vida!

CAPÍTULO SIETE. HÁBITOS DECENTES

No basta con concentrarse en deshacerse de los malos hábitos únicamente. Ahora hay que incorporar los buenos hábitos a nuestra nueva vida. Espero que para todos esos sentimientos innecesarios o negativos, hayas seguido trabajando en la interrupción de esos malos pensamientos.

Incluso tienes una nueva actividad que probar o volver a hacer cuando eras un niño. Es hora de concentrarte en ti como persona y en lo que quieres de tu vida. Puedes hacer varias cosas con regularidad para preparar tu mente, tu cuerpo y tu espíritu para tu renovación. Analicemos algunas de ellas.

PRIORITIZE YOUR RELATIONSHIP WITH PEOPLE, NOT THINGS

En el mundo actual, saturado de información, sacar nuestros teléfonos siempre que hay algún tiempo de inactividad se ha convertido en algo normal. Si observamos a la gente que espera en las colas de toda la zona, en las tiendas o en los restaurantes, están sentados o de pie con la cabeza gacha, con la nariz metida en sus teléfonos móviles.

¿Y por qué no pueden hacerlo? Podemos jugar a juegos divertidos en nuestros teléfonos, chatear con colegas y amigos, leer artículos o noticias, estar al día con nuestros animadores... Espera un segundo, ¿no acabamos de hablar de deshacernos de la sobrecarga de información? No pasa nada. Ahora es el momento de dar prioridad a tus relaciones y conexiones con los demás.

Te proponemos un pequeño reto para que lo intentes esta semana.

Deja tu teléfono móvil en el coche cuando vayas al supermercado o al banco, o incluso cuando lleves a tu familia a cenar la próxima vez. ¿Qué? Sí, lo dije. Deja tu smartphone en el coche. Cuando estés en la cola -y esto puede ponerte un poco nervioso- intenta decir algo positivo a la persona que está detrás o delante de ti. Lo sé... puede que te miren con confusión, que estén demasiado absortos en sus propios teléfonos para escucharte o que haga tanto tiempo que no tienen contacto humano real que no sepan qué hacer. Sin embargo, te reto. Mantén una conversación con alguien con quien estés en una cola, y luego mira cómo va. Lo más probable es que tengas una interacción positiva, que se te quedará grabada para el resto del día. La mayoría de la gente disfruta charlando en la tienda con desconocidos.

Mucha gente recibe un gran impulso en su estado de ánimo incluso de los más pequeños encuentros de este tipo. Por muy bien que te parezca sentirte cuando recibes un nuevo mensaje o un "me gusta" en tu publicación de Facebook, nunca será lo mismo que las interacciones reales entre humanos.

Así que hazte un favor y anímate a comunicarte al menos una vez a la semana con alguien que no hayas conocido nunca.

Ahora concentrémonos en las conexiones con tus seres queridos, amigos y/o familiares en tu vida. Piensa en alguien que te parezca un buen amigo con el que no hayas hablado en una semana o más. ¿A qué se debe?

¿Se debe a que estabas ocupado con cosas del trabajo? ¿Ocupado con los niños? Has decidido, por la razón que sea, que otras cosas de tu vida tienen prioridad sobre tu amistad con esta persona. Si realmente estabas demasiado ocupado para hacer una llamada de 15 minutos por el móvil con un amigo, te pediría que lo consideraras. Tal vez pienses que después del trabajo has estado demasiado ocupado y simplemente no le has dado prioridad.

Eso es algo que te pediría que mejoraras tu actitud. Las relaciones entre nosotros y las amistades son uno de los aspectos más importantes de nuestras vidas y sería una decepción perder un tiempo precioso con estas personas cada noche de la semana por una noche de Netflix y pizza. Sé que el trabajo es aburrido y que sólo quieres llegar a casa y ver la televisión y olvidarte del mundo. Pero también hemos hablado de eso. ¿Por qué vas a desperdiciar tu vida de esta manera? Si tu trabajo es tan agotador que no puedes concentrarte en nada más y estás tan desesperado por alejarte de él que no puedes trabajar por las tardes, quizá sea el momento de replantearte tus opciones profesionales.

Pero esperaré en un par de minutos a que lleguemos a la línea. Ahora mismo, esta semana, tu reto es fijar una fecha para salir y quedar con uno de tus amigos favoritos para charlar y quizá cenar juntos. Invítalos a tu casa y programa una comida juntos si no quieres gastar dinero. Puede que quieras ir a su casa porque su casa es más tranquila... ¡igual está bien! Decidas lo que decidas, es fundamental que esta semana te propongas dedicar tiempo a un amigo. Es un gran hábito del que vas a sacar mucho provecho. ¡Puedes conseguir mucho más que la pinta de helado Moose Tracks que hay en la nevera!

CAPÍTULO OCHO. APÉGATE A ESE DIARIO Y SIGUE TU PROGRESO

Escribir un diario es una forma estupenda de calmar tu mente y de seguir tus progresos. Es bueno tener una fuente escrita a la que referirse siempre que necesites algo de ánimo Intenta anotar algo cada día en tu diario. Anota cómo te sientes, qué problemas has resuelto recientemente con éxito y si estás dispuesto a continuar. También es una buena forma de ser responsable de ti mismo. Anota lo que te ha motivado a hacer esta semana y escríbelo en cuanto lo hayas hecho.

Continúa, y pronto tendrás unas páginas de trabajo estupendas que podrás consultar cuando te parezca que estás perdiendo fuelle o necesites un estímulo. Porque todos tenemos esos días, ¡y eso está bien! Se trata de una gran empresa, como he dicho antes. Y es fundamental que tus problemas no se conviertan en tareas y en una fuente importante de pensamientos excesivos como los que tanto te has esforzado en borrar. Desafíate, pero no te estreses demasiado.

No intentes seguir todos los consejos de este capítulo a la vez. Expongo varias soluciones con la esperanza de que haya algunas que realmente te hagan destacar como algo que crees que mejorará drásticamente tu vida cotidiana y tus procesos de pensamiento. Y recuerda, ¡nadie cambia su vida de la noche a la mañana!

Ten en cuenta que tu diario no tiene por qué estar repleto de palabras. Si eres una persona como yo a la que le gustan las citas motivadoras o las imágenes inspiradoras, utiliza tu diario como una especie de álbum de recortes e incluye fotos, citas, dibujos animados, incluso cosas como talones de billetes y tarjetas de felicitación, objetos que puedes olvidar o tirar. Algunos tipos de cosas son muy divertidas de recordar y te alegrarás de tenerlas guardadas más adelante.

Come más sano

Come más sano, no "come sano". Asegúrate de ello de esta forma, porque no hay forma más segura de arruinar tu progreso que sobrecargarte con una tarea como la de cambiar completamente tu forma de comer. Si ya eres una persona que come bastante sano, ¡esto es perfecto! Pero te advertiría a ti y a los demás que no os dejéis atrapar demasiado por cualquier especulación o moda en la dieta que parece devorar vuestros feeds de Twitter y de las redes sociales. Éste es otro ejemplo perfecto de cómo dejar que algo se convierta en una fuente de frustración, de pensar demasiado, de tensión y de sentimientos de fracaso en la mejora de tu vida. Los planes de nutrición y los suplementos de marketing son tan grandes como cualquier otra técnica de marketing y nunca debes seguir una dieta o un plan de nutrición como la última palabra de la nutrición.

Haz uso de tu sentido común, no comas demasiados alimentos y trata de comer alimentos sanos en lugar de otros más insanos. Eso es todo lo que realmente debe preocuparte en lo que respecta a la alimentación en este momento. No te limites a hacer una dieta extremadamente baja en carbohidratos. Hay algo mucho más importante de lo que puedes ocuparte.

Si te preguntas cómo es una rutina alimentaria más saludable, te sugiero que lleves una cuenta de lo que comes con frecuencia. Luego, echa un vistazo. ¿Hay algo que destaque como potencialmente perjudicial? Por ejemplo, si comes pizzas y galletas todos los días y ves que te sientes fatal, puede ser una buena razón para ello. No estoy en contra de comer ensalada y quinoa a diario, y todo el mundo puede hacer una o dos pequeñas mejoras en sus hábitos alimentarios y ver una enorme mejora en el estado de ánimo y la eficiencia general. Intenta reducir la ingesta de azúcar y comer unas cuantas verduras y frutas más cada semana. Eso es todo lo que tienes que hacer para ponerte en marcha. Como con cualquier otra cosa, con pequeños pasos llegarás más lejos.

Haz ejercicio

Ha llegado el momento de la actividad saludable mente/cuerpo favorita de todos: ¡el ejercicio! No gimas, ahora. Pensemos un poco en ello. En realidad, no hace falta que empieces a entrenar para un maratón ni que compres un juego completo de mancuernas para tu nuevo gimnasio casero no programado. Lo he recalcado antes y lo voy a decir para casi todos los consejos de esta lista: da un paso cada vez. Serás mucho más eficaz con tus objetivos cuando desgloses las cosas y vayas paso a paso que si intentas hacer muchas cosas al mismo tiempo. También es muy importante que tengas en cuenta tu condición y capacidad personal, sobre todo con el ejercicio. No te compares con las estrellas del fitness de YouTube que hacen entrenamientos extremos todos los días y toman batidos de proteínas. Se trata de ti y de tu desarrollo personal, y ninguna estrategia de otra persona encajará perfectamente con la tuya.

Al igual que el patrón de alimentación saludable, el primer paso es observar lo que ya estás haciendo y subir uno o dos peldaños en la escalera de la actividad. Eso es todo. Si eres una persona a la que le gusta hacer ejercicio pero parece que no le sobra el tiempo para hacerlo, ¡te llamo la atención! El ejercicio no tiene que ver con las horas que pasas haciéndolo, sino con tu esfuerzo y, para empezar, estoy hablando de emplear pocos minutos cada día. Si empiezas con una actividad nula, tu objetivo es simplemente pensar en caminar o estar de pie en lugar de simplemente sentarte. Da un paseo por el edificio, o ve a un parque y da un pequeño paseo. Si estás en casa, levántate cada hora de tu escritorio y haz algo rápido para que tu sangre fluya un poco más. Se trata de hacer pequeñas mejoras. Convierte esos pequeños cambios en patrones y luego céntrate en subir otro peldaño.

La mayoría de la gente cree que necesita un gimnasio más caro para ponerse en forma. Eso no es cierto. Sin equipamiento y con un poco de espacio, hay muchos ejercicios que puedes hacer en casa y que son muy adecuados para mejorar tu salud general. Si realmente te entrenas para participar en competiciones de culturismo, quizá seas un caso único. Pero la mayoría de nosotros veremos una gran mejora en el estado de ánimo, la fuerza y la salud general simplemente convirtiendo parte de ese tiempo sentado en un pequeño entrenamiento. Si no estás seguro de qué hacer, busca en Internet o entra en YouTube.

Actividades como las sentadillas, el footing, las dominadas, las planchas, las flexiones, los paseos, los saltos y el baile no necesitan ningún equipamiento y pueden hacerse casi en cualquier lugar que te apetezca. Si crees que te inspiraría tener un compañero a tu lado, ¡adelante! Si crees que sería más interesante, ve a una clase de ejercicio en grupo cada semana. El objetivo principal es simplemente añadir algo de actividad física a tu rutina, más de lo que hacías antes. Una vez, no te distraigas intentando empezar un reto de 30 días o un programa de entrenamiento intenso de 5 días. La prioridad en este momento está en la mente, no la vuelvas a desordenar donde tanto has trabajado para encontrar la claridad.

Haz tiempo para ti mismo regularmente

Esto es algo que puede significar muchas cosas diferentes para distintas personas. Establecer tiempo para ti mismo significa simplemente reservar un tiempo cada día para realizar una actividad que te haga sentir bien y relajado. La excepción que voy a recomendar aquí es que no tengas tiempo para comer dulces o comida basura. Seguro que el chocolate te hace sentir mejor... durante unos minutos...

pero en última instancia, desarrollar el hábito de comer de forma inapropiada en nombre del tiempo "para ti" sería una idea terrible. Definitivamente, hay otras opciones más saludables.

¿Te gustan los masajes? Mucha gente no se dará un masaje todos los días, por supuesto, pero quizá puedas ayudarte con un buen masaje una vez al mes. Elige algo que te alivie a diario, y resérvate media hora o más. ¡Aunque sólo sea una siesta! Coge un libro, enciende una vela, haz cosas que despejen y relajen tu mente y no te estresen. Se trata de relajarse, pero en lugar de sustituir las tensiones del día por algo ruidoso para el resto de la noche, la intención es calmar tu cuerpo y tu mente. Estirarse es una buena forma de hacerlo, sobre todo si has estado sentado todo el día en una silla de oficina. Tal vez quieras charlar con una taza de café con un amigo o un colega. Cuando sea posible, imagínate a ti mismo en un papel antes de seleccionar algo que se aplique a ti.

Ten una lista de cosas que hacer

A muchos de nosotros nos gusta planificar cada día y eso está muy bien. Cuando empezamos a obsesionarnos con hacer todo lo que está en la lista, incluso los elementos que no son importantes, aparece el problema de pensar demasiado.

Parte del desarrollo de hábitos decentes consiste en aprender a decir que no a algo, ya que no se tiene la energía mental necesaria para hacerlo cuando no es necesario. Si te sientes estresado pero estás dando pasos para cambiar tu vida y tu comportamiento, no pasa nada si quieres pasar de ese viaje de trabajo o de esa ceremonia de cumpleaños de un amigo al que ni siquiera conoces muy bien. Si crees que tu tiempo está mejor invertido en relajarte en casa o en hacer algo que te gusta hacer, entonces elige por ti mismo. No siempre tienes que decidir dar a alguien tu precioso tiempo y energía sólo porque te lo pida. En muchas vidas, la obligación es una fuerza fuerte, y muchas personas acaban sintiéndose mal si no consiguen un sí a las invitaciones o peticiones todo el tiempo. Pero esto no es más que otro montón de desorden que se acumula en tu mente y que contribuye a pensar demasiado. Los sentimientos y pensamientos de culpa son tan fuertes como cualquier otra emoción, y debes protegerte contra ellos.

Organiza tu lista ideal de tareas. Está claro que la compra de comida para alimentar a tus hijos es más importante que cortar los setos del jardín delantero, y esta tarea debería estar en la lista más abajo. Así que haz una lista separada de las cosas que tienes que hacer hoy y de las tareas que tienes que completar esta semana. Eso te dará un poco más de espacio y relajación a tu mente. Puede que llegues a hacer 5 o 6 cosas hoy en lugar de ver una lista de 20 cosas que hacer hoy y el resto puedes programarlo para el resto de la semana según tengas tiempo y energía.

CAPÍTULO NUEVE. SÉ AGRADECIDO

También se trata de purificar tus sentimientos para despejar tu mente del desorden. Es crucial que sustituyas gradualmente esos sentimientos negativos por otros positivos a medida que empieces a deshacerte del desorden y los pensamientos negativos de tu mente, así como del desorden de tu entorno relacionado con las emociones tóxicas. Puede que al principio te suponga un esfuerzo y un recordatorio escrito para empezar, pero en última instancia el objetivo es hacer que estos pensamientos sean automáticos.

Para la mente, la gratitud es algo poderoso. Puede convertir un día frustrante y pobre en algo positivo y esperanzador a la vez. En lugar de insistir en los retos a los que te enfrentas y en las cosas que no tienes, piensa en todas las cosas buenas de tu vida por las que puedes estar agradecido. Incluso las cosas triviales. ¿Has pagado la factura de la luz de este mes? Eso es algo por lo que debemos estar agradecidos. ¿Tienes personas que se preocupan por ti y se divierten pasando tiempo contigo? Mucha gente no lo hace, así que da las gracias. ¿Las sábanas limpias hacen que tu cama sea cómoda y suave? Espera con ilusión el sueño de esta noche y da las gracias. Hay mil razones para sentirte agradecido a tu alrededor y es importante que empieces a reconocerlas cada día.

La gratitud viene acompañada de muchas emociones cálidas y buenas. También te ayuda a volver a centrar tu atención en lo que está ocurriendo delante de ti y a tu alrededor en este momento. Muchos de nosotros nos perdemos en la preocupación del día anterior o de la semana anterior o incluso de los años anteriores... entonces nuestros pensamientos se dirigen a mañana y a lo que ocurrirá este fin de semana y el mes siguiente y el próximo año... ¿Con qué frecuencia te sientas y miras a tu alrededor y te sientes agradecido por el lugar en el que te encuentras en la vida? Eso es muy importante y espero que lo conviertas en una de tus principales prioridades a medida que construyas nuevos hábitos decentes en la vida.

CAPÍTULO DIEZ. ALÉJATE DE LAS INFLUENCIAS NEGATIVAS

Este puede ser uno de los capítulos más difíciles y he esperado hasta este momento para escribir sobre este tema porque no quiero que te sientas agobiado. Antes de llegar a esta etapa, tener un poco de impulso te ayudará a ver con claridad, ahora que has dado un paso atrás, has examinado tus procesos de pensamiento y has empezado a cambiarlos por hábitos más fuertes y saludables.

La eliminación de las influencias negativas de tu vida implica mucho espacio, que se llena de cosas diferentes de un individuo a otro. Para todo el mundo, las influencias negativas no tienen el mismo aspecto, así que, de nuevo, es crucial que no te dejes llevar por la comparación de las tuyas con las de los demás. Nadie ahí fuera es más fuerte que tú porque no está luchando con los problemas de la misma manera que tú. Te garantizo que todas esas personas que parecen vivir vidas increíbles en las redes sociales se enfrentan a sus propios obstáculos personales. Al igual que nos hemos centrado en ti en capítulos anteriores, es hora de que te concentres en ti y persigas esos obstáculos que te mantienen alejado o, peor aún, que te hacen retroceder.

Sigue adelante y saca de unos capítulos atrás la lista que enumera todas las raíces y causas del exceso de pensamiento en tu vida. Puede que hayas escrito en el pasado cosas que te sucedieron y que sigues arrastrando, traumas del pasado o malos tratos de otras personas. Tal vez hayas escrito cosas como un mal jefe en el trabajo, o una compañera que sigue intentando drogarte con ella, o clips en las tendencias de las redes sociales que te dan fotos de la persona que se espera que seas y eso es triste. Ahora que hemos avanzado unos cuantos pasos para convertir el exceso de pensamiento en un logro enfocado, es el momento de echar un vistazo a tu vida y examinar cuántas de esas malas influencias siguen presentes. Puede que hayas eliminado algunas fuentes importantes de pensamiento excesivo, tensión y emociones negativas, pero ¿todavía hay algunas en tu vida que te impiden conseguir tus objetivos? La lista sería muy diferente para cada lector y no pretendo ocupar el lugar de un consejero, pero deberías ser capaz de ver con una mente más clara cómo estas influencias siguen causándote todo tipo de problemas. Los cambios en estas áreas dependen de ti, pero puedo darte un pequeño consejo en el camino.

En primer lugar, cortar los lazos con algo o alguien que ha estado cerca y cómodo en tu vida durante mucho tiempo nunca es fácil, incluso si esa presencia es perjudicial al final. La gente ve lo que quiere ver muchas veces, y evita cualquier cosa demasiado dura. En realidad, aquí es donde estabas al principio, cuando te diste cuenta de que era el momento de hacer un cambio.

Deshacerte de las influencias negativas de tu vida es extremadamente importante para tu desarrollo. Es muy fácil embarcarse en ese camino, prosperar, y luego caer a causa de las influencias negativas que dejas que se apoderen de tu vida de nuevo. La confianza en uno mismo es importante, pero también es importante no trivializar el poder y las influencias de otras personas en tu vida. A veces, incluso los más inteligentes son engañados, ya sea por una estafa de marketing o por una mentira de una persona en la que confiamos. Si hay alguien en tu vida que ejerce una influencia negativa sobre ti, puede ser el momento de una gran discusión.

Ten una conversación con un amigo

A continuación, pensemos en cómo llegar a los amigos en una amistad fuerte aprendemos varias veces a pasar por alto las pequeñas cosas de la personalidad o el carácter del individuo que no nos parecen ideales. Nadie es impecable y vuestra relación es más importante que muchos de esos pequeños defectos. Puede que hayáis tenido malas discusiones y disputas, pero sabes que el vínculo que tienes con el amigo es muy sólido, si vuestra relación ha permanecido a través de ellas. Pero a veces, en realidad, los problemas que pasamos por alto son mucho más grandes de lo que permitimos que sean y debemos abordar.

Hay muchos tipos diferentes de influencias negativas que un amigo puede añadir. El objetivo es decidir si estos factores negativos obstaculizan el progreso para convertirse en una persona más feliz y productiva. Si la respuesta es afirmativa, por muy difícil que sea aceptarlo, puede ser el momento de tener una conversación con tu amigo para minimizar la influencia o cortar los lazos por completo.

Nunca es una decisión fácil de tomar y, al principio, puede doler. Pero si te das tiempo para pensar en ello y sigues volviendo a la misma y simple verdad, es una buena idea alejarte de ella.

La mejor manera de abordarlo es desde la perspectiva de lo mucho que admiras los buenos momentos que has pasado con tu pareja, aunque la conversación acabe siendo dura.

Siéntense juntos y vayan al grano describiendo claramente lo que están tratando de hacer en su vida.

Aclara que estás haciendo muchos cambios difíciles para vivir una vida mejor y más plena. Explica que has vivido con la misma mentalidad sin éxito durante mucho tiempo y que ahora es el momento de eliminar los factores que te separan de tus objetivos.

Puede que no sea tan grave como tener que cortar absolutamente los lazos con tu amigo. Tal vez se trate de un hábito o rasgo que debes recordar a tu amigo que deje de sacar a relucir cuando está contigo. Si sigue cotilleando sin parar y hablando de forma despectiva de otras personas y te das cuenta de que eso alimenta tu ciclo de pensamientos perturbadores y pensamientos excesivos, entonces dile a tu amigo que ya no quieres hablar con él de esas cosas.

Tal vez se trate del abuso de drogas, del abuso de alcohol o de algún otro factor físicamente perjudicial que tu amigo sigue aportando. En ambos casos, siempre que partas de una posición honesta y genuina, un amigo que realmente se preocupa por ti y por tu salud lo entenderá. No acuses a tu pareja de hacerte daño intencionadamente. Puede que piense que su estilo de vida les funciona y que no tiene planes de dejar de hacerlo. Pero eso no significa que no estén dispuestos a ajustar sus acciones en torno a ti para ayudarte a conseguir tus objetivos.

Piensa en una posibilidad más. Puede que empieces a hablar de lo que intentas hacer con tu vida con tu amigo o amigos, y que a ellos se les ilumine la idea de intentarlo por sí mismos. Puede que acabes de ganar un fuerte aliado y colaborador al tener una conversación honesta con tus amigos para avanzar en este camino de clarificación. No tengas miedo de hablar desde una posición abierta y sincera. A cambio, ¡puede que simplemente resultes ser una influencia poderosa y positiva en sus vidas!

Habla con la pareja o los seres queridos

Es difícil hablar con un amigo sobre cómo puede afectarte negativamente de alguna manera, pero probablemente será mucho más difícil hablar con un ser querido o con la pareja. Si tienes la suerte de estar rodeado en tu vida de influencias positivas y de apoyo, entonces considérate realmente muy afortunado.

Sin embargo, si estás experimentando cualquier forma de relación tóxica, es extremadamente importante abordar el problema lo antes posible. Y mientras te enfrentas a la decisión de cortar los lazos con alguien cercano, es importante no confundir lo que se puede arreglar abordando e interactuando con cuestiones que no lo son. Todo tiene que empezar con una comunicación clara y honesta.

Las pruebas demuestran que un gran porcentaje de los problemas matrimoniales tienen su origen en los malos hábitos de comunicación.

La mala comunicación puede convertir pequeños malentendidos en cosas devastadoramente dolorosas. Si has dicho o hecho algo que tu pareja o tu ser querido te ha causado dolor, puede que sólo haya sido un error de comunicación por su parte. Para todo el mundo, no será el caso, pero si has tenido una relación mayormente optimista y de apoyo con ese ser querido, entonces hay una mayor probabilidad de que sea algo tan fácil como arreglar la falta de comunicación.

No obstante, si has tenido una larga historia de abusos constantes de una u otra forma, es hora de reunir algunos recursos y hacer frente a la influencia negativa. No te vayas sin discutir, a menos que estés en peligro físico por la situación actual. Si este es el caso, es imperativo salir de la situación inmediatamente.

Pero si se trata de romper con una pareja o de hablar con tu mujer o con un ser querido sobre cómo dejar los malos hábitos que te perjudican, entonces la mejor vía es reservar un tiempo considerable para una discusión razonable. De nuevo, será muy importante que no empieces la discusión siendo conflictivo. Sé franco y proporciona algunos antecedentes y contexto para explicar por qué necesitas hablar. Confundir a tu pareja no servirá de nada. Como en el caso de que tengas que hablar con un familiar, las mejores políticas son la transparencia y la vulnerabilidad.

No seas el único que habla y todo esto, dale a tu amigo o a tu ser querido la oportunidad de hablar y explicar cómo se siente realmente. Si la relación tiene fuertes cualidades de redención y vale la pena trabajar en ella, entonces deberías terminar con algún tipo de entendimiento y acuerdo para seguir adelante.

CONCLUSIÓN

¡Gracias por leer todo este libro!

Gracias por haber leído este libro hasta el final. Esperemos que haya sido perspicaz y capaz de darte todas las herramientas que necesitas para alcanzar tus objetivos, sean cuales sean.

El siguiente paso es validar que estás en camino de convertirte en una persona más fuerte y plena cada día. Comprueba hasta dónde has llegado y siéntete orgulloso. Como en todo, la continuidad y la dedicación son la clave del éxito. Cree en ti mismo y en tu capacidad para realizar los cambios importantes para lograr tus objetivos.

Una vez que hayas eliminado el desorden de tu mente, convierte cada día el exceso de pensamientos en logros concentrados. Puede que alguna vez te hayan dicho que "es más fácil decirlo que hacerlo". Pues bien, deberías estar encantado de aprender a hacer aquello a lo que dedicas tu tiempo. Durante mucho tiempo, has querido dar un paso. Dar los pasos hacia la consecución de tus objetivos es algo que mucha gente no puede hacer.

Es en momentos como éste, después de dar un gran paso adelante en mi vida, cuando me pongo a pensar en lo lejos que he llegado. A veces es difícil apreciar tu éxito cuando estás en el fragor de la batalla y luchando cada día durante el principio, la mitad o incluso cerca del final de tus esfuerzos. No hay nada más grande que subir a esa escalera final y mirar hacia abajo a tu paso para ver todos esos movimientos completados.

Ya estás un paso más cerca de mejorar.

¡Mis mejores deseos!

La autodisciplina, más fácil

Una guía completa para crear el impulso necesario para triunfar, disciplinar la mente, el cuerpo y el espíritu. Aprovecha y a aumenta tu fuerza mental (Spanish Version)

INTRODUCCIÓN

¡Gracias por comprar este libro!

La formación de buenos hábitos, como la meditación, la atención plena, las relaciones significativas y el sueño adecuado, te llevarán a una posición en la que los hábitos negativos que contribuyen a pensar en exceso desaparecerán. Desde las relaciones poco saludables hasta un espacio vital desordenado, la eliminación de las cosas que te mantienen alejado dará paso a un tú totalmente nuevo, preparado para afrontar los retos de la vida con una mente llena de pensamientos positivos y objetivos concretos. Espero que llegues a conocer todo tu potencial trabajando cada día para desarrollar mejores hábitos sin sentir que el exceso de pensamientos no puede ser eliminado de nuestra vida. ¡Puedes retomar el control!

Hay muchos libros en el mercado sobre este tema, ¡gracias de nuevo por elegir este! Se ha hecho todo lo posible para asegurar que esté tan lleno de detalles útiles como sea posible, ¡por favor, disfrútalo!

Como adulto, es posible que siga sufriendo una incomprensión sobre su vulnerabilidad. Nuestro acelerado y violento entorno industrializado moderno tiene un efecto adverso en las PAS (Personas Altamente Sensibles por sus siglas en inglés). Te sentirás rápidamente agotado, sobreestimulado sin cesar por todo, desde el abuso político hasta la cacofonía de los ruidosos ruidos urbanos. Como las PAS son una minoría de la población, es posible que interiorices las costumbres de nuestra sociedad no PAS. Lamentablemente, tu bienestar físico, mental y moral fracasa al tratar de encajar en un entorno sobreestimulado y fuera de control.

Si te informan de que eres demasiado emocional, es bueno tener abierta una refutación practicada. Se cree que las PAS están presentes en alrededor del 20 por ciento de la población (dividida a partes iguales entre hombres y mujeres), según los estudios de la Dra. Elaine Aron. Este grupo tiene un sistema nervioso central más afinado, por lo que somos más sensibles a los estímulos ambientales tanto positivos como negativos. El ruido, el olor, las luces brillantes, la elegancia, la presión del tiempo o la incomodidad pueden ser los desencadenantes. Ellas se esfuerzan más intensamente por percibir la entrada visual que la mayoría de los hombres. Puede ser una característica divertida y difícil de tener.

Una nota de precaución es que, al preguntar a los demás sobre su sensibilidad, es necesario utilizar su fanatismo. Si crees que el otro individuo se burlará de tu vulnerabilidad o la subestimará, es mejor no compartir la información. Algunos estudiantes con PAS me han dicho que sus familias o amigos ignoran sus declaraciones de sensibilidad y les hacen sentir peor.

Si vives en una comunidad mayoritariamente no PAS, es crucial aprender el arte del consenso y no esperar que la gente haga siempre grandes cambios en el estilo de vida para adaptarse a ti. Una PAS mencionó que tenía unos vecinos que ponían la música a todo volumen todas las noches en su edificio de apartamentos urbanos. Me aseguró que había llegado a un acuerdo con ellos para que mantuvieran la música tranquila durante la semana, pero que sólo podían ponerla más alta a ciertas horas los viernes y sábados por la noche.

Disfruta tu lectura.

CAPÍTULO UNO. INFLUENCIAS NEGATIVAS

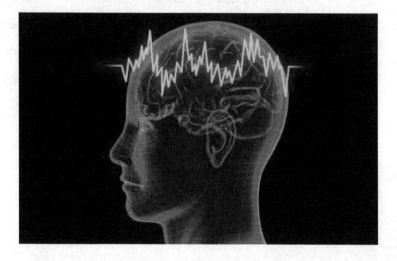

Ahora que hemos superado ciertos temas más difíciles, hablemos de otras posibles influencias negativas en tu vida que aún deben ser abordadas.

En el capítulo sobre hábitos decentes, hablamos brevemente sobre la alimentación sana. Los malos hábitos alimenticios son algunos de los hábitos más difíciles de romper porque son muy gratificantes al instante. Lo mismo ocurre con hábitos como las drogas y el alcohol, que proporcionan sensaciones inmediatas de inhibición y euforia. No dejes que la vergüenza entre en juego cuando evalúes tus hábitos alimentarios. Todo el mundo intenta comer de forma saludable, y eso no te convierte en una persona mala o débil porque no puedas dejar de comer la chocolatina de la máquina de aperitivos del trabajo todos los días. Es un buen punto de partida porque sabes que es un mal hábito.

Aquí está una vez más: da pasos pequeños. No aceptes a partir de ahora, después de tener que comer chocolate todos los días durante los últimos dos años, que nunca jamás probarás el chocolate. Te digo que no ocurrirá.

En su lugar, limita tu consumo de chocolate 1 día a la semana. Está bien, si comes literalmente una barrita Twix o algo así todos los días, elige un día de la semana y ponte como objetivo ese día no comer chocolate.

Empezar a hacer mejoras saludables en tus hábitos alimentarios es tan fácil como eso. Aunque en este capítulo se trata de eliminar por completo las influencias negativas, hay que tener en cuenta que cambiar de actitud y erradicar los malos hábitos no es algo que ocurra de forma natural.

Si compras tu chocolate todos los días en el mismo lugar, hay medidas adicionales que puedes tomar para ayudarte a deshacerte de ese hábito. Encuentra una ruta diferente a tu oficina, aunque sea más larga, que no pase por esa máquina expendedora, mostrador de aperitivos o cafetería del trabajo. Naturalmente, esto se ajustará a tu entorno, pero el mero hecho de ver un lugar que proporciona chocolate influye negativamente en tus acciones, porque ver ese lugar provoca en tu cerebro la necesidad de consumir chocolate.

Lo mismo ocurre con la publicidad. Cuando ves esas imágenes de jugosas hamburguesas en los anuncios de televisión, no es sólo porque quieran mostrar sus productos, sino que influyen subconscientemente en tus antojos y ponen una conexión en tu cerebro que asocia tener hambre y antojo de hamburguesas cada vez que ves ese anuncio de televisión.

Intenta limitar tu acceso a esos anuncios para eliminar esta influencia negativa. Como estos anuncios están por todas partes, puede ser un reto. Pero seguro que con un poco de imaginación puedes encontrar formas de eliminar gran parte de este efecto de tu rutina diaria.

Como hemos hablado antes, muchos de los impactos negativos provienen de los medios de comunicación y de las imágenes que vemos en ellos, que nos afectan mentalmente como si equiparáramos las cosas positivas con los anuncios con los que nos bombardean cada día. Eliminar la mayor parte posible de esa influencia contribuirá en gran medida a mejorar tu autoestima y tu positividad. Y una vez más, sólo hace falta un pequeño cambio cada vez.

En la tienda de comestibles, por ejemplo, en lugar de mirar las revistas y los cuerpos perfectos de las portadas, desafíate a escuchar las voces que te rodean, quizás entablando una conversación con otra persona en la cola, como hemos comentado antes. Esto eliminará el motivo de ver una imagen y juzgarte inmediatamente en comparación con lo que ves.

En tu teléfono móvil y otros dispositivos portátiles se producen los mismos efectos. Puede ser más difícil evitar este tipo de anuncios, pero un buen primer paso sería revisar tus feeds de las redes sociales y dejar de seguir a los famosos que promueven ejercicios o artículos de salud, y luego marcar la publicidad que siga apareciendo en tu feed y que ya no quieras ver. Y la mejor manera de eliminar esta influencia negativa de tu vida sería, por supuesto, reducir la cantidad de tiempo que pasas en tu teléfono móvil en general. Sustituye las horas que normalmente pasas en Internet por algo más saludable mentalmente para incorporar a tu vida, como algo de tu lista actual de intereses y hábitos saludables. Puede ser un reto al principio, porque romper con cualquier mal hábito siempre lo es, pero enseguida empezarás a ver y sentir la diferencia positiva de despejar tu mente de esas causas.

Al principio, otra influencia negativa puede ser difícil de identificar, porque se considera positiva y vital para la superación personal. Si te sientes inclinado a escuchar a otra persona en tu vida y a pedirle consejo, puede ser el momento de intentar romper esa dependencia en favor de tener más confianza en tu proceso de pensamiento y desarrollo de hábitos. Nadie te conoce mejor que tú, como he dicho antes, y el hecho de que algo funcione bien para otra persona no significa que también vaya a funcionar perfectamente para ti. Así que deja de ver al Dr. Phil y saca tu periódico. Escucha tu voz y tu cuerpo. Ahora que has hecho tanto para explicar tu viaje hacia un mejor tú, debería ser mucho más sencillo. Además, ¡siéntete orgullosa de haber hecho tú mismo todo el trabajo pesado!

Cambiar tu empleo o tu carrera

Nada puede ser más sutil en el ámbito de la influencia negativa que la muerte lenta y progresiva de trabajar en un empleo sin futuro. Si te graduaste en el instituto o en la universidad con buenas ideas y planes para tu vida, sólo para verlos desaparecer mientras te estableces en una empresa que ni siquiera te interesa para ese trabajo aburrido pero fiable, puede dejarte seco de toda determinación, pasión y energía.

Si es así, ten por seguro que no estás solo. Nuestra sociedad actual motiva a las figuras que están dispuestas a trabajar a destajo por un buen sueldo e incluso las alaba. Desde una edad temprana, se nos inunda con el mensaje de que el éxito es igual a dinero y responsabilidad. Pero cuanto más te beneficias, más desordenas tu mente y tu casa, y más tensión pones en tu vida, como ya hemos reflexionado.

La vida no es realmente una cuestión de ganancia. Como hemos hablado del minimalismo en la sección anterior, la realización en la vida no proviene de los objetos de valor ni de avanzar en tu carrera. Si la carrera no es algo que te guste o te apasione, no vale la pena comprometer toda tu vida. Para ello, la vida es demasiado corta.

Esta podría ser la última y mayor barrera que se interpone entre tú y tu futuro yo. A medida que nos acercamos al final de este libro y a tu nueva afirmación como ser humano renovado con una mente clara y preparada para llenarse de influencia positiva y conocimiento, asegúrate de que el lugar en el que pasarás la mayor parte de tu tiempo durante todo el año es donde realmente quieres estar. No lo hagas ni lo hagas porque otras personas te digan que es lo correcto. Hazlo porque es donde quieres estar.

CAPÍTULO DOS. CÓMO DEJAR DE PENSAR TANTO

En este libro se ha hablado mucho sobre el pensamiento excesivo, estos son los pasos que hay que dar para dejar de pensar en exceso:

1. Intenta centrarte en las cosas positivas que están sucediendo en este momento.

Nos hemos convertido en una sociedad que permite la prevalencia del pensamiento excesivo y negativo. Empezarás a reentrenar tu mente para que piense de forma más positiva simplemente cambiando tu atención hacia lo que te hace feliz, o hacia lo que agradeces. Recuerda: para construir una casa sólo hace falta un ladrillo cada vez... Así empezarás a sentirte más satisfecho y dejarás de pensar en exceso, al no poner tanto énfasis en la negatividad que percibes dentro de ti y en otros lugares.

2. Repite palabras de paz para ti mismo todo el día.

En este momento concreto, presta atención a tu mente... ¿Qué tipo de pensamientos observas? Lo más probable es que descubras que la mayor parte de tus pensamientos giran en torno a lo que tienes que hacer hoy, o a lo que alguien ha dicho para enfadarte, o incluso para menospreciarte a ti mismo. No te sientas tan mal; no siempre es fácil tener una actitud positiva constante con tanta energía negativa a nuestro alrededor. Puedes combatir los pensamientos negativos que inducen al estrés con palabras claras y pacíficas.

3. Medita a diario.

En este libro se recomienda mucho la meditación, pero por una razón válida. Mientras meditas, detienes el flujo de emociones que bombardean tu cerebro a cada segundo, y en su lugar te trasladas a una habitación donde reina el silencio. Aunque no es necesario apagar el cerebro para meditar, muchas personas sienten que su mente se ralentiza enormemente y, con respiraciones guiadas y los ojos cerrados, pueden examinarse a sí mismas con mucha más facilidad. La meditación simplemente lleva la conciencia al cuerpo y hace que las luchas cotidianas sean mucho más fáciles de afrontar.

4. Vive en el aquí y en el ahora.

Olvídate de pensar demasiado en los recados que tendrás que hacer mañana después del trabajo, o en las facturas que tendrás que pagar la semana que viene, o en el miedo a tu futuro que ni siquiera te has levantado. Cuando dejas rumiar pensamientos como éstos, puede causar un gran malestar en el cuerpo, e incluso provocar ansiedad, depresión, estrés crónico y otros problemas graves. A menudo la ansiedad se desencadena por el simple hecho de vivir en un tiempo diferente al que tenemos ahora, así que vuelve al presente cada vez que veas que tus pensamientos te llevan a algún sitio.

5. Sal a la naturaleza.

La naturaleza es la forma perfecta de relajar una mente ocupada. Podrías hacerlo en un parque cercano durante un fin de semana o durante tu pausa para comer. Si estás muy estresado, piensa en ir de vacaciones románticas a algún lugar. Cualquier cosa que puedas hacer para reforzar tu relación con la naturaleza apoyará enormemente a tu mente, y te ayudará a darte cuenta de que la mayor tensión que experimentamos la generamos en nuestra mente y nuestro cuerpo. Vivimos en una posición de paz perfecta, y es sólo una ilusión muy común que vemos a nuestro alrededor. No te dejes llevar demasiado por los asuntos triviales del mundo material, porque no encontrarás alegría en los números ni en las cosas.

CAPÍTULO TRES. DORMIR BIEN

Generalmente, ¿a qué hora te vas a dormir por la noche? Ésta será otra tarea que deberás anotar y seguir durante un par de días. Creo que siempre es más convincente que la gente explique por sí misma lo beneficiosos que pueden ser estos consejos cuando se aboga por mejores hábitos de vida. El sueño es uno de los aspectos más sencillos de nuestra vida que pasamos por alto cuando nos centramos en la superación personal.

Cuando somos jóvenes y estamos en la escuela, cuando oyes hablar del valor del sueño y de cuánto hay que dormir, puede que haya habido un día o dos en una clase de salud. ¿Dijeron que todo el mundo necesita 8 horas de sueño para funcionar correctamente cada noche? Tal vez. Esa era la cifra con la que siempre había estado familiarizado. Cuando preguntas a desconocidos en la calle cuánto creen que deben dormir, lo más probable es que sus respuestas sean mayoritariamente "8 horas". Pero, ¿la mayoría de nosotros dormimos 8 horas completas cada noche? Sé que a mí me cuesta conseguirlo, y supongo que a ti te pasa lo mismo.

Una de las consecuencias más inquietantes del exceso de pensamiento en la vida de la mayoría de las personas es el hecho de que las preocupaciones no cesan cuando se acuestan para dormir. Muchos de los que sufrimos de exceso de pensamiento o nos sentimos abrumados por el estrés del trabajo, los bebés, los compromisos familiares, etc., nos quedamos despiertos por la noche durante horas para analizar o planificar los acontecimientos del día anterior o del día siguiente. Nos fascinan las cosas que hemos hecho, dicho o presenciado, y las repasamos una y otra vez, preguntándonos si lo hemos hecho todo bien. Eso es normal, y no debes sentir que es algo que no puedes arreglar o mejorar, porque puedes hacerlo absolutamente.

Todo el contenido de este libro cultiva patrones que no sólo influyen en los procesos de pensamiento diurnos. También te ayudarán a calmarte y a preparar tu mente y tu cuerpo para el sueño. Puede que ya hayas sido testigo de esta diferencia positiva en tu vida, ¡y me alegro mucho por ti si lo has hecho! La mayoría de la gente se pasa la mayor parte de su vida durmiendo de forma poco óptima, y esto también se debe a las normas culturales y a la forma en que la sociedad valora a la persona trabajadora.

Muchos consideran que un hombre valiente trabaja 50 horas a la semana. Puede que este individuo tenga mucho dinero para comprar una gran casa, un gran coche y la cama más cómoda del mercado. Pero si trabaja tanto, es imposible que consiga 8 horas de sueño nocturno reparador. Y por muchas razones, eso es perjudicial para la salud de la persona a largo plazo.

Efectos de dormir insuficientemente

Hemos hablado antes del peligro que corres cuando te enfrentas a una sobrecarga de información de un día para otro, y de cómo afecta a la toma de decisiones. El sueño inadecuado es un gran ejemplo de cómo, si no lo alimentas, el cuerpo puede volverse contra ti y dejar que descanse y se recargue de la forma en que debe hacerlo. Cuando no dormimos lo suficiente, estamos privando a nuestro cuerpo de un tiempo de recarga y recarga que es vital para el funcionamiento de nuestro cerebro cada día. Los estudios sugieren que conducir sin haber dormido lo suficiente es tan arriesgado como conducir borracho. Después de una noche agitada, el tiempo de reacción y el estado de alerta son mucho más bajos, y al igual que una persona que ha estado bebiendo mucho alcohol puede pensar que está bien para conducir, alguien que simplemente no duerme bien puede considerar una expectativa inevitable y normal que siga conduciendo al trabajo medio dormido cada mañana. Se trata de una combinación muy tóxica de procesos de pensamiento que puede tener efectos instantáneos y que alteran la vida.

Pero pensemos en las consecuencias desde una perspectiva más a largo plazo, y menos evidente. Los estudiantes universitarios y los adultos que trabajan son conocidos por llegar cada mañana y quejarse de que han estado despiertos toda la noche leyendo o trabajando en ese gran proyecto que tienen que presentar el fin de semana. La gente suele reírse o compadecerse en respuesta, diciendo que no han dormido bien, normalmente porque se quedan despiertos hasta tarde trabajando o leyendo también. Eso está tan extendido que parece ser una parte intrínseca de la vida cotidiana estadounidense. La idea es que cuando te gradúas o sacas adelante esa presentación te alaban y que perder el sueño ha merecido la pena. De acuerdo, esto puede ser cierto si sólo se trata de una o dos noches, pero el hecho es que la mayoría de los adultos de Estados Unidos no suelen dormir lo suficiente y esto afecta a su capacidad para realizar un trabajo fiable y constante en horas extras.

Desde hace un par de décadas, las horas de trabajo son cada vez más largas y los individuos ya no piensan en trabajar 50 o 60 horas a la semana o en trabajar por turnos durante toda la noche. Lo cierto es que cuando no dormimos adecuadamente, nuestra agudeza mental se reduce con el tiempo y rendimos peor que antes.

Aunque el efecto es gradual y lento, a menudo no nos damos cuenta hasta que es demasiado tarde o empezamos a cometer errores. ¿Recuerdas a Jessica y su capacidad multitarea, que es sobrehumana?

Bien, al igual que ella estaba tan segura de que trabajaba a un nivel óptimo, nosotros tendemos a pensar que operar con poco o nada de sueño no es nada. Sólo cuando las cosas van mal nos detenemos a considerar el hecho de que con un bajo nivel de energía realmente nos sentimos débiles y poco saludables. Esto a veces sale a la luz sólo cuando hacemos estos cambios y nos comprometemos a reservar tiempo para dormir adecuadamente. ¡La diferencia aquí es el día y la noche!

Ritmo circadiano

En los últimos años se han lanzado varias aplicaciones que funcionan como herramientas para observar y vigilar el ritmo circadiano. ¿Qué es el ritmo circadiano?

Cada día el cuerpo sigue un ciclo natural que contiene una plétora de sustancias químicas y procesos. El que vamos a estudiar es el que sigue un patrón de 24 horas, y tras el cual hemos modelado nuestro día de 24 horas. A lo largo del día, el cuerpo produce hormonas y señales para indicar a nuestras mentes y cuerpos lo que necesitan. Los relojes biológicos nos indican cuándo es la hora de dormir y cuándo es la hora de levantarse. Al segregar una sustancia química llamada melatonina para ayudar a calmar y preparar nuestros cuerpos y mentes para el sueño, el cuerpo ayuda a este ciclo. Es fácil seguir un horario normal y seguro de dormir, levantarse y comer si obedecemos el ritmo circadiano de la forma en que fuimos diseñados. Pero cuando esta rutina se desajusta, sentimos los efectos tanto al instante como con el paso del tiempo, dependiendo del tiempo que descuidemos los ritmos normales de nuestro cuerpo.

Entonces, ¿qué es este ritmo natural? ¿Existe un patrón que deberíamos seguir? Bien, como la mayoría de los hábitos decentes que deberíamos seguir, habrá variaciones en los cuerpos de las personas, pero cuando se trata del ritmo circadiano, hay cambios sencillos que puedes hacer para ver mejoras masivas en el funcionamiento de tu cerebro y en cómo te sientes cada día.

La secreción de melatonina cesa todas las mañanas, hacia las 7:30. Tu mayor nivel de alerta se produce justo a las 10 de la mañana, según el estudio. Esto es algo que siento muy personalmente, ya que siempre he alcanzado mi pico de éxito y rentabilidad entre las 9 y el mediodía de cada día.

Lo ideal es que, si te levantas sobre las 8 de la mañana, estés preparado antes del mediodía para tomar un desayuno saludable. La mayoría de los adultos no pueden decidir cuándo almorzar precisamente si tienen que cumplir un estricto horario de trabajo. Los niños, en cambio, siguen muy de cerca este patrón, ya que los colegios suelen empezar en algún momento alrededor de las 8:30 o 9 y luego una pausa para comer alrededor del mediodía todos los días. El ingrediente clave aquí es que realmente comas algo que alimente el cuerpo para el resto del día. Comer una comida alta en calorías y baja en nutrientes sólo conducirá a un gran y lento colapso, que a menudo destruirá tu productividad durante varias horas. Veremos que este proceso ocurre en los niños cuando comen una recompensa de azúcar justo a la hora de comer. Suelen experimentar un alto nivel de azúcar o "subidón", y luego se estrellan y se queman poco después, a menudo durmiendo largas siestas o simplemente quejándose de tener que hacer algo durante el resto del día.

Según el estudio, el mayor nivel de agilidad y resistencia cardiovascular se produce a última hora de la tarde/primera de la noche, y luego el cuerpo empieza a segregar melatonina hacia las 11 de la noche, lo que indica que el cuerpo está preparado para descansar.

¿Qué pasa mientras dormimos?

La mayoría de la gente no se da cuenta de la eficacia con la que controla y repara su cuerpo. Sólo hace falta que tu cuerpo te escuche. Con tus nuevas técnicas de atención plena y buenos comportamientos que se apoderan de tu vida, escuchar lo que tu cerebro te dice a lo largo del día debería resultarte un poco más fácil. Cuando escuchamos las campañas publicitarias y los anuncios que intentan vendernos cosas, empezamos a notar una tendencia a decir que con diferentes vitaminas y otros artículos tenemos que cambiar o ayudar al cuerpo a hacer su trabajo. La mayoría de las veces, esto no es cierto. Si nos esforzamos en escuchar y hacer cambios sutiles en nuestras rutinas diarias, veremos y sentiremos la diferencia cuando nuestro cuerpo nos recompense con más fuerza y resistencia.

Entonces, ¿qué ocurre cuando realmente dormimos? El sueño es un momento importante para el cuerpo. Mientras dormimos, el cerebro se deshace de los residuos y recarga las estructuras de nuestro cuerpo para que sean capaces de afrontar un nuevo día. Las células del interior de nuestro cuerpo se sustituyen y se desarrollan otras nuevas, por lo que el aprendizaje y la memoria también son momentos significativos. ¿Alguna vez te han aconsejado "consultarlo con la almohada" después de tener que enfrentarte a una decisión difícil, o quizás a una lección escolar desafiante? Eso se debe a que, cuando está inconsciente, la mente realiza un gran aprendizaje, tratando de integrar lo que hemos aprendido, e inundando el cerebro a lo largo del día. Este es el lugar donde nuestra mente solidifica los recuerdos. Las habilidades se van afinando a medida que aprendemos para que su aplicación sea mejor, pero es mucho lo que se incrusta en nuestra mente cuando dormimos. Es posible que te hayas encontrado con este fenómeno de niño, cuando recibías lecciones o cursos para una habilidad concreta.

Tal vez durante tu clase de piano aprendiste una serie de acordes complicados y te esforzaste por entender exactamente todo lo que habías aprendido, pero descubriste que los acordes te venían mejor a la mañana siguiente cuando te sentaste a tocar. Esto forma parte de las cosas que el cerebro hace por nosotros cuando estamos dormidos y por eso es tan vital para nosotros, sobre todo cuando somos jóvenes, que durmamos bien una cantidad adecuada de horas.

Hacer cambios

Puede ser más difícil de lo que parece al principio cambiar tus hábitos diarios para dormir más. Pero al igual que cualquier cambio positivo en los comportamientos cotidianos, tienes que pensar en superar este obstáculo paso a paso. Escribe unos días en tu diario para observar tus propios patrones de sueño. ¿A qué hora te acuestas?

¿Cada noche es a una hora diferente? ¿Cómo te sientes cuando te despiertas del sueño? ¿Te cuesta quedarte dormido o te duermes en cuanto la almohada llega a tu cabeza? ¿Eres alguien que permanece despierto, incapaz de dormir, con la mente a flor de piel? Hay muchas cosas que puedes hacer para cambiar tus hábitos nocturnos, y preparar tu cuerpo para que se prepare para el sueño, según tu situación.

Una cosa que puedes hacer es dejar de hacer comidas nocturnas. Cuando al cuerpo le cuesta digerir la comida, es difícil enviar la señal de que es hora de relajarse y dormir. Para mucha gente es un mal hábito comer a altas horas de la noche, pero evitar esos caprichos nocturnos supondrá una gran diferencia en lo cansado que te sientes cuando llega la hora de irte a la cama. Intenta reducir la cantidad total de comida que consumes por la noche, y luego céntrate en trasladar la hora de comer a las primeras horas del día. Intenta comer antes de las 6 ó 7 de la tarde para permitir que los alimentos se digieran. Esto hará que el cuerpo esté preparado para empezar a relajarse y sentir el efecto de la melatonina.

¿Te gusta leer en la cama? ¿Y una pasar media hora en Facebook? Bueno, cuando hacemos cosas que no suelen asociarse con el sueño en la posición en la que se supone que debemos descansar, nuestro cerebro equipara la cama con las actividades de vigilia, lo que hace más difícil conciliar el sueño.

Considera la posibilidad de trasladar esas cosas a otro lugar y reserva tu cama para dormir. Al principio, romper este hábito puede ser difícil, sobre todo si lo has tenido durante muchos años, pero hacer esa transformación contribuirá en gran medida a calmar tu cuerpo y a sentirte relajado, lo que es esencial para conciliar el sueño. Romper el hábito también ayudará a reducir la necesidad de despertarse en mitad de la noche o por la mañana demasiado temprano, sin poder conciliar el sueño. No hay nada más frustrante que despertarse una hora antes de que suene la alarma. Cultiva estas mejoras en tu vida diaria, y verás un cambio en los patrones de sueño en general.

En última instancia, espero que a través de las ideas y técnicas expuestas en este libro ya hayas abordado tu exceso de pensamiento, pero si no es así, el momento perfecto para empezar a practicar la meditación, o esa estrategia de "tiempo libre para ti" es justo antes de acostarte. Si has pasado la última hora antes de acostarte preocupándote por el trabajo o intentando terminar esos últimos elementos de tu lista de tareas pendientes, a tu cerebro le resultará mucho más difícil relajarse y prepararse para dormir. Dedica tiempo al principio del día a estas actividades, y reserva la hora antes de acostarte para relajarte.

Empezarás a ver mejoras significativas en las fuerzas que tienes por la mañana, en tu estado de ánimo, en tu eficiencia y en tu sensación general de bienestar, a medida que sigas practicando la formación de buenos hábitos en relación con la obtención de un sueño nocturno suficiente. Si vives con personas que también tienen hábitos de sueño inadecuados, considera la posibilidad de sentarte y compartir con ellas tus planes para desarrollar hábitos de sueño frescos y seguros. Tus seres queridos te elogiarán cuando ellos también disfruten de los beneficios de dar al cuerpo lo que necesita cada día.

Todos los consejos anteriores para tener éxito en el camino de la comprensión te ayudarán a dormir bien para hacer realidad tu sueño de una nueva y mejorada tú, ¡lista para afrontar los retos de la vida!

La mente de un ganador

La actitud de un artista que ganará sistemáticamente o, al menos, rendirá a su máximo nivel. Tienen una confianza fuerte e inquebrantable en sí mismos y en su aptitud profesional y experiencia acumulada.

Hiperenfoque

La capacidad de ejecutar en todas las circunstancias a un alto nivel de rendimiento sin distraerse y con total consistencia y facilidad mental. Muchos lo llaman "en la región".

Manejo de estrés

La capacidad de gestionar el estrés y la presión en el momento de realizar un trabajo, el miedo o la ansiedad sin ninguna duda. O al menos sin dejarse disuadir por el miedo y la ansiedad, y trabajando de forma independiente. Un maestro de la optimización del estrés sabe cómo concentrarse y rendir mejor utilizando un entorno extremadamente estresante.

Fracasa bien

Capaz de contextualizar positivamente una incapacidad de producir los resultados que el ejecutante pretende alcanzar. Y extraer valor y aprender del fracaso en el rendimiento, canalizarlo en el siguiente rendimiento para seguir subiendo al siguiente nivel.

Maximizar los límites

En la experiencia del dolor, el estrés mental y físico, y la incomodidad física, la capacidad de extraer el máximo esfuerzo físico y rendir a pesar de los subproductos sensoriales desagradables. Esto puede incluir la compulsión mental, el dolor físico o el esfuerzo.

Preparación

Se trata de una distinción de planificación que permite al ejecutante estar preparado para cualquier eventualidad en la actuación (o antes de la actuación) y tener un plan de respaldo para cualquier circunstancia previsible o imprevisible. Esto permite al intérprete estar preparado para cualquier giro de los acontecimientos y permanecer cómodo y ejecutar cualquiera que sea la situación. Esto permite al ejecutante estar preparado para cualquier rincón de actividad y mantenerse sano y ejecutar cualquiera que sea la situación. Esto también permite al ejecutante tener un plan en caso de sucumbir a un déficit de rendimiento, y recuperarse totalmente para completar la tarea que tiene entre manos sin reducir el rendimiento como consecuencia de la decepción o la percepción de fracaso o pérdida. Y lo más importante, antes de que la validación externa declare un fallo o daño.

¿Quién debe construir o desarrollar la fortaleza mental?

Las habilidades de fortaleza mental deberían ser aprendidas y refinadas por cualquier persona que se proponga fabricar resultados de alto nivel, especialmente en entornos basados en el rendimiento como los negocios, los deportes de competición, el entretenimiento y los trabajos de alto estrés.

EMPRESA, PROFESIONALES, EQUIPOS DE VENTAS Y EMPRESARIOS

El personal de ventas y los ejecutivos de las empresas se beneficiarán enormemente del manejo de las emociones negativas y del desarrollo de habilidades de fortaleza mental que mejoran el rendimiento para la gestión de las empresas, la relación con los consumidores y el marketing con los clientes.

ATLETAS

La fortaleza mental se ha desarrollado para los atletas y hoy en día los atletas de élite y cada vez más los atletas junior la utilizan ampliamente para darles una ventaja en la competición. El dominio de la fortaleza mental puede beneficiar a patinadores artísticos, gimnastas, triatletas, corredores, competidores de CrossFit y a cualquiera que se considere (o quiera convertirse) en un atleta de alto rendimiento.

SOLDADOS Y PERSONAL MILITAR

Mantenerse mentalmente concentrado y sin distracciones puede ser una cuestión de vida o muerte para el personal militar y los soldados combatientes de cualquier rama de las fuerzas armadas, incluidos el Ejército, la Marina, las Fuerzas Aéreas, la Guardia Costera y la Guardia Nacional. Algunos profesionales utilizan regularmente la fortaleza mental para llevar a cabo las tareas y tener un buen rendimiento en sus trabajos.

EMPRENDEDORES

Los emprendedores pueden experimentar dificultades y retos extremos al crear empresas desde cero, por lo que las habilidades de fortaleza mental pueden ser fundamentales para su éxito.

ARTISTAS ESCÉNICOS

Los artistas del escenario, del cine y de la televisión, incluidos los músicos, los actores, los bailarines y otros talentos creativos, pueden desarrollar una ventaja sobre un campo altamente competitivo utilizando las distinciones de la fortaleza mental en su arte. Las habilidades de dureza mental les permiten presentarse a las audiciones con gran concentración y calma; creer en sí mismos; recuperarse cuando fracasan; actuar en la zona cuando es necesario; prepararse para cualquier eventualidad, y seguir cosechando el éxito que sienten que deben.

PERSONAL DE EMERGENCIAS

Los agentes de policía, los bomberos y los paramédicos, así como otros equipos de primera intervención, se benefician enormemente del entrenamiento en dureza mental, dado que sus profesiones pueden ponerles en situaciones de vida o muerte y obligarles a estar en entornos muy estresantes. Las habilidades de fortaleza mental pueden ayudar a estos trabajadores a realizar su trabajo a un nivel de alto rendimiento y producir resultados milagrosos.

TRABAJADORES MÉDICOS

Cualquier trabajador médico que esté expuesto a entornos estresantes en los que la vida y la muerte están en juego, incluidos los médicos, las enfermeras y otro personal médico –incluido el personal de quirófano, el personal de urgencias y otros– puede beneficiarse significativamente del entrenamiento de la fortaleza mental para ayudarles a conseguir resultados extremadamente eficientes y de alto nivel que les beneficien a ellos y a los demás.

TRABAJADORES PROPENSOS AL ESTRÉS

Cualquier trabajador que esté expuesto a entornos estresantes, incluyendo médicos, enfermeras, controladores aéreos, personal de seguridad y otros. Si tiene que lidiar con el estrés y tiene que rendir de todos modos, la fortaleza mental le proporcionará las habilidades que necesita para cumplir con lo que necesita.

PADRES

No es accesible para los padres de niños de cualquier edad y puede someter a madres y padres a un enorme estrés y llevarles a dudar de sus decisiones en la crianza de los hijos. Las habilidades de fortaleza mental pueden ser utilizadas por CUALQUIER PERSONA, y son ideales para los padres que no sólo quieren transmitir el entrenamiento a sus hijos para hacerlos más resistentes a medida que crecen, sino también para hacer frente a las presiones, los desafíos y el estrés que enfrentan.

Historia de la fortaleza mental

La fortaleza mental es fundamental para el estudio de la psicología del rendimiento; se utilizó inicialmente para ayudar a los atletas de élite a rendir más. Surgió como área de estudio a mediados de la década de 1980, y la investigación continúa hasta el día de hoy, desarrollando técnicas y tácticas de fortaleza mental para entrenar a los atletas, a la gente de negocios, y a todos los artistas para que obtengan resultados innovadores.

La importancia de la fortaleza mental

La fortaleza mental describe la mentalidad que cada persona adopta en todo lo que hace, y a dos niveles, es críticamente importante y valiosa para todos.

En primer lugar, explica por qué las personas y las organizaciones actúan como lo hacen. La personalidad puede describirse como el patrón característico de pensamiento, sentimiento y funcionamiento de un individuo, y su personalidad puede explicar las diferencias individuales y cómo actúan las personas en situaciones específicas.

La fortaleza mental es un rasgo de la personalidad que describe la mentalidad. Examina lo que hay en la mente del individuo para explicar por qué se comporta como lo hace. Por tanto, existe una conexión aparente entre la mentalidad y el comportamiento.

Se puede describir la mentalidad tanto como la precursora del comportamiento como la explicación de muchos comportamientos.

En segundo lugar, las investigaciones y los estudios de casos de todo el mundo demuestran que la fortaleza mental es un factor importante en los resultados esenciales de la mayoría de las personas y organizaciones:

- Rendimiento: explica hasta el 25 por ciento de la variación del rendimiento individual.

Las personas mentalmente duras rinden más, trabajan con más determinación, muestran más compromiso con el objetivo y son más competitivas. Esto se traduce en un mejor rendimiento, una mayor puntualidad y una mejor asistencia.

- Bienestar: más satisfacción.

Las personas mentalmente duras muestran una mejor gestión del estrés, una mejor asistencia, una menor probabilidad de desarrollar problemas de salud mental, un mejor sueño y una menor probabilidad de acoso escolar. Serán capaces de soportar el estrés a su paso.

- Comportamiento positivo: más dedicación.

Las personas mentalmente fuertes son más positivas, tienen más "ganas de hacer", responden positivamente al cambio y a la adversidad, muestran una mejor asistencia, contribuyen más probablemente a una cultura positiva, aceptan la responsabilidad y se ofrecen como voluntarios para nuevas oportunidades y actividades.

- Apertura del aprendizaje: más aspiracional.

Las personas mentalmente fuertes son más ambiciosas y están dispuestas a asumir más riesgos.

Ser duro mentalmente aporta una serie de beneficios a las personas y a las organizaciones. Se han realizado investigaciones en todo el mundo y se ha llegado a la conclusión de que las personas con mayores niveles de fortaleza mental disfrutan de lo siguiente:

a.   Mejor rendimiento: representa hasta el 25 por ciento de la variación del rendimiento en el lugar de trabajo.

b.   Mejora de la positividad: mayor adopción de un enfoque de "sí se puede" que conduce a unas relaciones y una conectividad más excelentes con los compañeros.

c.   Mayor bienestar: más satisfacción y mejor gestión del estrés.

d.   Gestión del cambio: una respuesta más tranquila a los cambios organizativos y un menor estrés.

e.   Aumento de las aspiraciones: mayor ambición y confianza en la consecución de objetivos y mayor voluntad de perseverar en ello.

Por estas razones, es inmensamente importante ser mentalmente duro para un individuo o una organización, especialmente en tiempos de cambios significativos. Los líderes, los aspirantes a líderes y quienes trabajan en ocupaciones estresantes e implacables o en situaciones de incertidumbre o cambio dinámico deben ser psicológicamente duros.

Las organizaciones de los sectores educativo, sanitario, comunitario, industrial o público deben ser emocionalmente resistentes y estar preparadas para el cambio.

CAPÍTULO CUATRO. PODEROSAS FORMAS DE DESARROLLAR TU FORTALEZA MENTAL

La inteligencia es útil si quieres ser eficaz, pero la determinación y la fortaleza mental son obligatorias. Ten en cuenta estas costumbres críticas.

Para desarrollar y mantener el tipo de fortaleza mental que requiere el éxito, es crucial mantener tus pensamientos y tu autoconversación en positivo y evitar los hábitos que conducen a la negatividad y a comportamientos poco saludables.

Las personas más enérgicas no son las que muestran fortaleza ante nosotros, sino las que ganan las batallas que nunca vemos librar contra ellas.

Ayúdate a mantenerte preparado practicando buenos hábitos mentales y de actitud para lo que venga mañana:

1.   Pensamiento estable:

El liderazgo a menudo requiere que, bajo presión, tomes buenas decisiones. Es importante que mantengas tu capacidad de ser objetivo y ofrecer el mismo nivel de rendimiento, independientemente de lo que sientas.

2.   Prospecto:

Cuando el mundo parece haberse vuelto contra ti, la fuerza mental te permite seguir adelante. Aprende a mantener tus problemas en una perspectiva correcta sin perder de vista lo que tienes que conseguir.

3.   Estar listo para el cambio:

Si el cambio es realmente la única constante, los rasgos más importantes que puedes desarrollar son la flexibilidad y la adaptabilidad.

4.   El interior:

Si recuerdas que no se trata de ti, podrás superar los contratiempos y salir aún mejor parado. No te tomes las cosas como algo personal, ni pases el tiempo preguntándote ¿Por qué a mí? En su lugar, concéntrate en lo que puedes controlar.

5.   Fuerza frente al estrés:

Mantén la resiliencia frente a las presiones negativas aumentando tu capacidad para afrontar situaciones estresantes.

6.   Listo para el desafío:

La vida y los negocios están llenos de exigencias del día a día, crisis ocasionales y giros inesperados. Asegúrate de tener los recursos necesarios para hacer frente a las crisis profesionales y personales a las que te enfrentarás tarde o temprano.

7.   Concentrado:

Ten en cuenta los resultados a largo plazo para mantenerte firme ante los obstáculos reales o potenciales.

8.   La actitud adecuada ante los contratiempos:

Las complicaciones, los efectos secundarios no deseados y los fracasos totales forman parte del paisaje. Mitiga los daños, aprende y sigue adelante con las lecciones que te ayudarán en el futuro.

9.   Autovalidación:

No te preocupes por complacer a los demás: para cualquiera que no sea el peor tipo de persona, eso es una propuesta de éxito o fracaso. En lugar de eso, haz un esfuerzo centrado en hacer lo que es correcto y saber lo que defiendes.

10.   Ten paciencia:

No esperes que los resultados fructifiquen inmediatamente, ni apresures las cosas antes de tiempo. Todo lo que merece la pena requiere trabajo duro y resistencia; considera todo como un trabajo en curso.

11.   Revisa:

Evita otorgar tu poder a los demás. Tú controlas tus acciones y tus emociones; tu fuerza reside en gestionar la forma en que respondes a lo que les ocurre.

12.   Reconocimiento:

No te preocupes por las cosas que no puedes controlar. Reconoce que lo único que siempre puedes controlar es tu respuesta y tu actitud, y haz un uso eficaz de esos atributos.

13.   Resistencia al fracaso:

Considera el fracaso como una oportunidad de crecimiento y mejora, no como un motivo para abandonar. Estate dispuesto a continuar el esfuerzo hasta que lo consigas.

14.   Positivismo inevitable:

Mantente positivo también, especialmente cuando te encuentres con personas negativas. Elévalos; nunca te rebajes. No dejes que los detractores arruinen tu espíritu de lo que logras.

15.   Felicidades:

No pierdas el tiempo envidiando el coche, la casa, el cónyuge, el trabajo o la familia de los demás. En lugar de eso, da las gracias por lo que tienes. En lugar de mirar por encima del hombro y envidiar lo que tiene otra persona, céntrate en lo que has conseguido, y en lo que vas a conseguir.

16.   Demasiada tenacidad:

Son sólo tres palabras: Nunca te rindas.

17.   Una fuerte brújula interior:

Cuando tu sentido de la orientación esté profundamente interiorizado, nunca tendrás que preocuparte por perderte. Mantente fiel al rumbo.

18.   Normas inflexibles:

Los tiempos difíciles o los problemas empresariales no son buenas razones para bajar el listón. Mantén tus estándares.

Se necesita práctica y atención para convertirse en una persona mentalmente fuerte. Arreglarlas implica sintonizar con tus malos hábitos y esforzarte por aprender otros nuevos. Y a veces sólo significa aprender a quitarse de en medio y dejar que las cosas sucedan.

CAPÍTULO CINCO. DUREZA MENTAL EN LA EDUCACIÓN

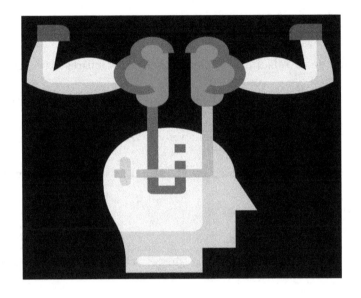

En el ámbito de la educación, la fortaleza mental ha surgido como un factor muy importante en el desarrollo de los jóvenes. Los principales retos a los que se enfrentan, y lo que pueden hacer al respecto y cómo afrontarlos, sobre todo cuando se enfrentan a exámenes o pruebas.

La fortaleza mental es un rasgo de la personalidad que determina la capacidad de una persona para rendir de forma constante bajo estrés y presión. La fortaleza mental es un rasgo de la personalidad que abarca ideas como la actitud, el carácter, la resiliencia y la valentía de forma muy práctica.

Las investigaciones demuestran que la fortaleza mental en la educación se ha relacionado con una serie de factores clave, como el compromiso académico, la valoración del trabajo escolar, el afrontamiento eficaz, la superación de la presión, los logros, el bienestar, el comportamiento en el aula, la asistencia y el cambio en la transición.

La fortaleza mental combina la resiliencia y la confianza o seguridad:

- Resiliencia: la capacidad de recuperarse de los contratiempos y los fracasos.

- Confianza: la capacidad de aprovechar las situaciones y las oportunidades. La palabra "confianza", tal y como se utiliza en esta área de estudio, contiene confianza en su interior. Cuando tienes confianza, la gente confiará porque el valor define la primera cualidad de un guerrero. Cuando estaba en el instituto, tenía tanta confianza en mí mismo que desafiaba a mis profesores, diciéndoles que les enseñaría otro método cuando escribiera mis exámenes. Así que confían en mí.

Esto te permitirá "sobrevivir y prosperar".

Es un estado mental y puede desarrollarse y mejorarse como tal de la misma manera que una condición física. Tiene sus raíces en el deporte, pero en los últimos años se ha reconocido su importancia crítica en la educación, la sanidad y los servicios comunitarios, así como en el sector empresarial.

¿Cuáles son los beneficios para los individuos?

Hay cuatro ventajas clave probadas de ser mentalmente fuerte que se relacionan con:

• Rendimiento: las personas mentalmente duras rinden más, trabajan con más determinación, muestran más compromiso con el objetivo y son más competitivas. Esto se traduce en un mejor rendimiento, en la entrega a tiempo y en la entrega de objetivos, así como en una mejor asistencia. Las personas mentalmente duras consiguen un aumento del rendimiento del 25 por ciento con respecto a los demás.

• Comportamiento: las personas que son mentalmente fuertes son más positivas, tienen una actitud más "capaz", responden positivamente al cambio y a la adversidad, son más propensas a contribuir a una cultura positiva, a asumir responsabilidades y a buscar nuevas responsabilidades, oportunidades y actividades.

• Bienestar: las personas que son mentalmente fuertes muestran una mejor gestión del estrés, una mayor asistencia, tienen menos probabilidades de desarrollar problemas de salud mental, duermen mejor y son menos propensas a acosar. Son capaces de asumir el estrés a su paso.

• Cambio: las personas psicológicamente fuertes suelen tener una mentalidad de lata y, por tanto, se enfrentan bien a situaciones de cambio y confusión personal u organizativa.

¿Cuáles son los beneficios de las escuelas? El profesorado mentalmente duro es más flexible, con una cultura más positiva y un mayor nivel de rendimiento. Es importante que los propios profesores sean mentalmente duros para poder crear una cultura mentalmente dura, de alto rendimiento y positiva en sus aulas y con sus alumnos.

La fortaleza mental es una valiosa habilidad en la vida que se adquiere a través de la experiencia y la observación de las acciones y los sentimientos de las personas más cercanas. Es necesario establecer la dureza mental dentro de los profesores como modelos clave para los alumnos. Se ha demostrado que los profesores pueden tener un efecto causal en variables como las ausencias de los alumnos y la progresión de las notas.

La ventaja de implantar un programa de Fortaleza Mental en la Educación es que proporciona un punto de partida y un marco y lenguaje claros y comunes para el proceso y los resultados. Esto fomenta la contemplación, el diálogo y la apertura sobre la actitud de una persona hacia la fortaleza mental e, idealmente, un compromiso de cambio. Para lograr un aumento constante de la fortaleza mental y los beneficios asociados al modelado y la mejora de la fortaleza mental en los estudiantes, se incluye el uso de formación y seminarios adecuados centrados en técnicas como el pensamiento positivo, el establecimiento de objetivos, la gestión de la atención o la visualización para cambiar hábitos y rutinas.

La fortaleza mental se refiere a un conjunto de características psicológicas fundamentales para un rendimiento óptimo. Atletas, entrenadores y psicólogos deportivos han insinuado sistemáticamente que la fortaleza mental es una de las características psicológicas más importantes asociadas al éxito deportivo. Sin embargo, su conceptualización y medición no son consensuadas. El propósito de este estudio es revisar algunas de las definiciones y conceptualizaciones emergentes de forma sistemática y examinar cómo se puede cultivar la fortaleza mental. Esta revisión considera los enfoques cualitativos y cuantitativos del estudio de la fortaleza mental, con especial énfasis en los modelos y el desarrollo de la medición de este constructo. Aunque estas discusiones se centran en los aspectos generales de la fortaleza mental, creemos que muchas de las cuestiones son relevantes para los académicos y profesionales que están interesados en medir las variables psicológicas en relación con el deporte, el ejercicio y otros contextos de rendimiento o logro.

El éxito o el fracaso de los deportistas es multifactorial. De ello depende la combinación de muchos factores, como los físicos, tácticos, técnicos y psicológicos. El factor psicológico suele ser el determinante de un ganador y un perdedor en el deporte. La capacidad mental contribuye en más de un 50% al éxito de los deportistas en la competición contra los adversarios. Además, un estudio indicó que la fortaleza mental era la más importante para el éxito en la lucha libre (valorada en un 82%). En un estudio en el que participaron diez deportistas olímpicos, informaron de que la dureza mental era una de las características psicológicas mejor valoradas que determinan el rendimiento alcanzado. Sin embargo, el término dureza mental sigue siendo subjetivo a pesar de su uso frecuente. En particular, se suele utilizar para describir un término amplio que refleja la capacidad de un deportista para hacer frente de forma eficaz a las exigencias del entrenamiento y la competición, en un esfuerzo por mantenerse resistente.

Los atletas, los entrenadores y los psicólogos deportivos aplicados se han referido constantemente a la fortaleza mental como una de las características psicológicas más importantes relacionadas con los resultados y el éxito en el deporte de élite. Sin embargo, es probablemente uno de los términos menos comprendidos en la psicología del deporte. Se justifica un uso específico de esta terminología en el deporte para facilitar una mayor comprensión de este constructo.

Una pregunta clave sobre la fortaleza mental en el deporte es "¿es la fortaleza mental una herencia o se desarrolla?". Algunos estudios revelaron que es heredable, mientras que otros debatieron que se construye en base a los influenciadores clave de la vida de un individuo (es decir, los padres, los entrenadores y el entorno).

La fortaleza mental podría ser heredable, si he de reconocer a otros investigadores, pero la cantidad mínima para que la descendencia la construya. Si no se construye sobre ella, no han heredado nada. Pero en mi opinión, la fortaleza mental se construye.

Cuando era niño, no era brillante académicamente, mientras que mi padre era muy brillante académicamente. Cuando llegué a la escuela secundaria, empecé a construirme a mí mismo que llegué a ser tan brillante, inteligente y listo, más que mi padre. Hago cosas que mi padre no puede hacer. Pienso en misiones imposibles, en las que mi padre me dice que me olvide de eso, pero aún así encuentro la manera de conseguirlas, y eso le asombra. Siempre me dice: "Siempre piensas demasiado en grande, despierta de tu sueño".

Por otro lado, hay padres avispados e inteligentes, y sus hijos serán tan aburridos. Si se equivoca una vez y no obtiene el resultado esperado, se rinde y pasa a otra tarea. ¿Por qué no es como sus padres? Así que puedo decir que la fortaleza mental no es heredable. Estoy de acuerdo con el argumento de que la fortaleza mental se construye. Yo me hice brillante académicamente e inteligente el día que me decidí a no rendirme nunca pase lo que pase. Repito una vez más: la fortaleza mental se construye.

CAPÍTULO SIETE. CARACTERÍSTICAS DE LA FORTALEZA MENTAL

La dureza mental ha sido objeto de debate durante muchos años en la literatura deportiva. De hecho, debido a la alineación y al marco común que conlleva, la fortaleza mental se ha relacionado tanto con el mundo empresarial como con el deportivo.

A continuación se enumeran diez características clave de la fortaleza mental entre los deportistas:

1.	Capacidad para recuperarse de la derrota – La derrota será experimentada por los deportistas, por ejemplo, la derrota sufrida por campeones como Michael Phelps, Novak Djokovic; un gran tenista, Lionel Messi; un gran futbolista con seis premios Balón de Oro, y Lewis Hamilton; un gran piloto de Fórmula 1. Sin embargo, los jugadores de élite tienen esa capacidad innata de recuperarse. La capacidad de recuperarse es imprescindible para recuperar la positividad y la confianza en uno mismo. Para lograr el éxito en el futuro, los intérpretes canalizan sus profundos santuarios interiores y responden alimentando su fuego en la derrota. Dicho de otro modo, la derrota duele lo suficiente como para rebotar.

2.   Resiliencia – Un trabajador con capacidad de recuperación se enfrentará a cada tarea y rendirá al máximo para lograr el objetivo final. La resiliencia está relacionada con la capacidad de recuperarse y de trabajar bajo presión para afrontarla. La resiliencia es una característica que los ejecutantes pueden utilizar cuando usan las habilidades mentales para aumentar la confianza en sí mismos. El tenis es un buen ejemplo de resiliencia, en el que los intérpretes se recuperan de dos sets durante los torneos.

3.   Consistente – Dentro de su rendimiento y entrenamiento, los ejecutantes deben tener consistencia y estabilidad. La teoría del impulso está asociada a la formación de hábitos, y cuanto mejor te vuelvas, más harás algo (por ejemplo, un tiro libre en baloncesto). La constancia dentro de tu deporte también tiene que ver con la preparación mental y física.

4.   Compostura – El deporte contiene una serie de emociones con las que los resultados pueden influir e impactar. El propósito de

la compostura permite al ejecutante realizar las tareas con la máxima aplicación y el mínimo gasto de energía. Por ejemplo, la mente y el cuerpo requieren equilibrio antes de ejecutar con éxito una rutina gimnástica. Los ejecutantes que fracasan pueden, de hecho, estar ansiosos por el resultado que les lleva al fracaso. El nerviosismo y la tensión creados sólo servirán para tensar el cuerpo y confundir la mente.

5.   Motivación – No hay duda de que los deportistas necesitan una motivación tanto intrínseca como extrínseca para ser campeones. La autoconfianza interior que esboza el deseo y el compromiso es imprescindible. Los deportistas, basándose en esta autoestima interior, pueden utilizar la motivación extrínseca para influir en sus decisiones. La clave de la motivación es la capacidad de establecer y alcanzar eficazmente los objetivos relacionados con el proceso.

6.   Confianza – Es importante considerar la confianza, dada la naturaleza del deporte y su suerte fluctuante. Hay una variedad de modelos que dirigen el propósito de la confianza. En resumen, la capacidad de ser consciente de que puedes lograr un objetivo

establecido o ejecutar una habilidad concreta puede relacionarse con la confianza. Cuando hay dudas sobre uno mismo, los niveles de confianza serán bajos. Cuando un ejecutante construye la confianza, los niveles de autoeficacia aumentan.

7.   Deseo – El deseo y la voluntad de lograr están estrechamente alineados con la confianza. Además, el deseo se forma a partir de una convicción interna de que puede alcanzar el éxito. Cuando los equipos se han fijado objetivos y creen que pueden alcanzarlos, la valoración del lenguaje corporal positivo es notable. Por el contrario, el efecto contrario del lenguaje corporal pobre se produce cuando los equipos están desunidos.

8. Organizado – Siempre habrá un trabajador de alto rendimiento organizado para lograr sus objetivos. La organización se basa en muchos aspectos que son sutiles pero igualmente importantes para algunos. La preparación y la llegada puntual son características esenciales de la organización. También es vital seguir las instrucciones críticas y comprenderlas. Por ejemplo, un ejecutante organizado

probablemente estará preparado y concentrado en la tarea que tiene entre manos.

9. Atención a los detalles – Este es un ingrediente crucial que poseen los mejores jugadores. Dentro del deporte de élite (los ejecutantes o los entrenadores), es evidente que algo puede ser detectado tácticamente mucho más rápido que otros. Si tenemos en cuenta que el deporte de élite tiene márgenes muy finos, la atención a los detalles se vuelve crucial. De hecho, en algunos deportes de equipo hay pruebas de que se utilizan sistemas de GPS para evaluar el terreno que han cubierto los ejecutantes.

10. Determinación – Es necesaria para determinar a los ejecutantes que quieren alcanzar el éxito. La determinación se forma a partir de la confianza en uno mismo. Gracias a la determinación, los intérpretes alcanzan el éxito y encuentran la forma de pasar al siguiente nivel. Algunos ejemplos recientes de artistas con determinación que han pasado al siguiente nivel con éxito son Andy Murray, la Unión de Rugby de Inglaterra y el equipo de pruebas de la India.

Es la práctica reflexiva, incorporada a la fortaleza mental. Para ser duro mentalmente, se debe utilizar una práctica reflexiva que ofrezca oportunidades para evaluar los puntos fuertes y desarrollar áreas de mejora. Una estrategia común para alinear esta oportunidad es establecer objetivos. En conjunto, la fortaleza mental, la práctica reflexiva y las competencias mentales se alinean para apoyar el rendimiento y facilitarlo.

CAPÍTULO OCHO. AUTODISCIPLINA Y FORTALEZA MENTAL

La fortaleza mental marca el inicio de todo caso de éxito. Todo comienza con la forma de pensar. La tenacidad mental es un requisito previo para la autodisciplina. Esto explica la diferencia entre la tenacidad mental y la autodisciplina, como se muestra a continuación de Economía en la escuela secundaria, donde tenemos "Qué producir, cómo producir y cuándo producir".

Dureza mental: qué producir,

Cómo crear autodisciplina

La autodisciplina es una de las habilidades más significativas y útiles que todo el mundo debería tener. Esta habilidad es esencial en todos los ámbitos de la vida, y aunque la mayoría de la gente reconoce su importancia, muy pocos hacen algo para reforzarla.

Contrariamente a la creencia común, la autodisciplina no significa ser duro con uno mismo o llevar un estilo de vida restrictivo y limitado. Autodisciplina significa autocontrol, que es una muestra de tu fuerza interior y de tu autocontrol, de tus acciones y reacciones.

La autodisciplina te da la capacidad de mantener y seguir tus decisiones, sin cambiar de opinión, y es, por tanto, uno de los requisitos más importantes para conseguir objetivos.

La posesión de esta habilidad te permite perseverar en tus decisiones y planes hasta conseguirlos. También se manifiesta como una fuerza interior que te ayuda a superar las adicciones, la procrastinación y la pereza, y a seguir adelante con lo que hagas.

Una de sus principales características es la capacidad de rechazar la gratificación instantánea y el placer en favor de alguna ganancia más significativa, que requiere tiempo y esfuerzo para conseguirla.

La autodisciplina es uno de los ingredientes fundamentales para el éxito. Se expresa de varias maneras:

- Perseverancia.

- No rendirse, a pesar de los fracasos y contratiempos. Es el autocontrol.

- Aptitud para soportar distracciones o tentaciones.

- Inténtalo una y otra vez hasta que consigas lo que te propones.

La vida pone retos y problemas en el camino hacia el éxito y los logros, y tienes que actuar con perseverancia y persistencia para elevarte por encima de ellos, y esto, por supuesto, requiere autodisciplina.

La posesión de esta habilidad conduce a la confianza en uno mismo y a la autoestima, y en consecuencia a la felicidad y la satisfacción.

Por el contrario, la falta de autodisciplina conduce a problemas de fracaso, pérdida, salud y relaciones, obesidad y otros problemas.

También es útil esta habilidad para superar los trastornos alimentarios, las adicciones, el tabaquismo, la bebida y los hábitos negativos. También la necesitas para sentarte y estudiar, para ejercitar tu cuerpo, para desarrollar nuevas habilidades y para el crecimiento espiritual y la meditación para la superación personal.

Como se ha mencionado anteriormente, la mayoría de la gente reconoce la importancia y los beneficios de la autodisciplina, pero muy pocos toman medidas reales para desarrollar y fortalecer la autodisciplina. Sin embargo, como cualquier otra habilidad, puedes reforzarla. Esto se hace mediante el entrenamiento y los ejercicios.

Beneficios de la autodisciplina y la importancia:

- No actúes precipitadamente ni por impulsos.

- Cumple tus promesas a ti mismo y a los demás.

- Supera la pereza y la procrastinación.

- Sigue trabajando en un proyecto, incluso después de que el entusiasmo inicial se haya desvanecido.

- Ve al gimnasio, camina o nada, también si tu mente te dice que te quedes en casa viendo la televisión.

- Sigue trabajando en tu dieta y resiste la tentación de comer alimentos que engordan.

- Levántate temprano por la mañana.

- Supera el hábito de ver demasiada televisión.

- Lee un libro hasta la última página.

- Piensa con regularidad.

Reforzar tu autodisciplina te resultará más fácil si:

1. Comprende la importancia de eso en tu vida.

2.   Hazte consciente de tu conducta indisciplinada y de sus consecuencias. Cuando esta conciencia aumente, estarás más convencido de la necesidad de hacer un cambio de vida.

3.   Esfuérzate por actuar y actúa de acuerdo con tus decisiones, sin importar la pereza, la tendencia a procrastinar o el deseo de rendirte y dejar de hacer lo que estás haciendo.

4.   Aunque actualmente es débil, puedes fortalecer tu autodisciplina con la ayuda de sencillos ejercicios especiales que puedes practicar en cualquier momento o lugar.

Cómo desarrollar la autodisciplina

La mayor lucha está siempre dentro de nosotros mismos, como todo lo que conlleva el progreso. Por eso tienes que aprender a autodisciplinarte.

Cuando te enfrentas a un helado de chocolate caliente o a la perspectiva de dormir hasta tarde o ir al gimnasio, puede ser difícil de creer, pero los estudios demuestran que las personas con autodisciplina son más felices.

Las personas con un mayor grado de autocontrol dedican menos tiempo a debatir si se permiten comportamientos que perjudican su salud y son capaces de tomar decisiones positivas con mayor facilidad. No dejan que sus elecciones sean dictadas por impulsos o sentimientos. En su lugar, toman decisiones sensatas. Como consecuencia, suelen sentirse más satisfechos con sus vidas.

Hay cosas que puedes hacer para aprender a disciplinarte y obtener la voluntad de vivir una vida más feliz. Si quieres tomar el control de tus hábitos y elecciones, aquí tienes las diez (10) cosas más poderosas que puedes hacer para dominar la autodisciplina:

1.   Conoce tus defectos.

Todos tenemos carencias. Ya sean aperitivos como las patatas fritas o las galletas de chocolate, o tecnología como Facebook o la última aplicación de juegos adictivos, tienen efectos similares en nosotros.

Reconoce tus carencias, sean las que sean. Con demasiada frecuencia, la gente trata de fingir que no tiene sus puntos débiles o encubre los escollos de su vida. Reconoce tus defectos. Hasta que no lo hagas, no podrás superarlos.

2.   Elimina las tentaciones.

Como dice el refrán, "fuera de la vista, fuera de la mente". Puede parecer una tontería, pero esta frase ofrece un poderoso consejo. Mejorarás enormemente tu autodisciplina simplemente eliminando las mayores tentaciones de tu entorno.

No compres comida basura si quieres comer más sano. Apaga las notificaciones y silencia tu teléfono móvil si quieres mejorar tu productividad en el trabajo. Cuantas menos distracciones tengas, más concentrado estarás en conseguir tus objetivos. Encamínate hacia el éxito desmontando las malas influencias.

3.   Establece objetivos claros y ten un plan de ejecución.

Si esperas conseguir la autodisciplina, tendrás que tener una visión clara de lo que esperas conseguir. También necesitas comprender qué entiendes por éxito. Al fin y al cabo, es fácil perder el rumbo o desviarse, si no sabes a dónde vas.

Un plan claro resume cada paso que debes dar para alcanzar tus objetivos. La figura de quién eres y qué pretendes. Crea un mantra para mantenerte centrado en ti mismo. Las personas con éxito utilizan esta técnica para no desviarse del camino y establecer una línea de meta clara.

4.   Construye tu disciplina por ti mismo.

No nacemos con autodisciplina: es un comportamiento adquirido. Y requiere práctica y repetición diarias, como cualquier otra habilidad que quieras dominar. Al igual que ir al gimnasio, requiere mucho trabajo de fuerza de voluntad y autodisciplina. Puede ser agotador el esfuerzo y la concentración que requiere la autodisciplina.

A medida que pasa el tiempo, mantener tu fuerza de voluntad bajo control puede ser cada vez más difícil. Cuanto mayor sea la tentación o la decisión, más difícil puede parecer abordar otras tareas que también requieren autocontrol. Por tanto, trabaja con diligencia diaria en la construcción de tu autodisciplina.

5.   Al mantener la sencillez, crea nuevos hábitos.

Al principio, adquirir autodisciplina y trabajar para inculcar un nuevo hábito puede parecer desalentador, sobre todo si te centras en toda la tarea. Hazlo de forma sencilla para no sentirte intimidado. Divide tu objetivo en pasos pequeños y prácticos. En lugar de intentar cambiarlo todo a la vez, céntrate en hacer una cosa de forma constante y domina la autodisciplina con ese objetivo en mente.

Si intentas ponerte en forma, empieza con 10 o 15 minutos de ejercicio al día. Si intentas conseguir mejores hábitos de sueño, empieza por acostarte cada noche 15 minutos antes. Si quieres comer más sano, empieza por comer por la noche antes de llevarlo a la mañana. Da pasos para el bebé. Con el tiempo, puedes añadir más objetivos a tu lista cuando estés preparado.

6.   Come a menudo, y come bien.

La sensación de estar enfadado, esa sensación de enfado, molestia e irritación que tienes cuando tienes hambre, es real y puede tener un impacto significativo en tu fuerza de voluntad. Las investigaciones han demostrado que el bajo nivel de azúcar en la sangre suele debilitar la determinación de una persona y te hace estar malhumorado y pesimista.

Tu capacidad de concentración se resiente cuando tienes hambre, y tu cerebro no funciona tan bien. Es probable que se debilite tu autocontrol en todos los ámbitos, incluyendo la dieta, el ejercicio, el trabajo y las relaciones. Así que aliméntate con tentempiés saludables y comidas regulares para mantener el control.

7.   Cambia tu percepción del poder de la voluntad.

Lo que piensas es lo que eres, y lo que atraes es lo que eres. Lo que atraes es lo que va a suceder en tu vida. Tienes el poder y la autoridad suficientes para hacer realidad lo que quieres que ocurra en tu vida. Puedes conseguirlo si eres capaz de pensarlo. Ten cuidado, importa mucho lo que piensas, y determina el resultado de tu vida.

Cuando sabes que tienes una pequeña cantidad de fuerza de voluntad, no es posible que sobrepases esos límites. Si no pones un límite a tu autocontrol, es menos probable que te agotes antes de cumplir tus objetivos.

En resumen, nuestras concepciones internas sobre la fuerza de voluntad y el autocontrol pueden determinar la cantidad que tenemos de ellos. Si puedes eliminar estos obstáculos mentales y creer de verdad que puedes hacerlo, te estarás dando un impulso extra de motivación para hacer realidad esos objetivos.

8.   Dota un plan de respaldo para ti.

Los psicólogos utilizan una técnica llamada "intención de implementación" para aumentar la fuerza de voluntad. Es cuando te das a ti mismo un plan para afrontar una situación potencialmente desafiante que sabes que probablemente tendrás que afrontar. Imagina, por ejemplo, que estás trabajando en una alimentación más sana, pero vas de camino a una fiesta en la que se sirve comida.

Antes de ir, dite a ti mismo que vas a beber un vaso de agua en lugar de zambullirte en un plato de queso y galletas, y concéntrate en la mezcla. Ir con un plan te ayudará a tener la mentalidad y el autocontrol necesarios para la situación. También ahorrarás energía al no tener que tomar una decisión emocional repentina.

9.   Alábate a ti mismo.

Date algo que te ilusione cuando planees una recompensa para lograr tus objetivos. Al igual que cuando eras un niño, tener algo que esperar te da la motivación para tener éxito.

La anticipación es fuerte. Esto te da algo en lo que reflexionar y concentrarte para que no te preocupes sólo de lo que intentas cambiar. Y cuando consigas tu objetivo, encontrarás un nuevo propósito y una recompensa única para seguir avanzando.

10.   Perdónate a ti mismo y sigue adelante.

Seguimos quedándonos cortos, incluso con todas nuestras mejores intenciones y planes bien trazados. Es cierto. Vas a tener altibajos, grandes éxitos y fracasos estrepitosos. La clave es mantenerse en movimiento.

Si tienes un tropiezo, reconoce qué lo ha provocado y sigue adelante. No te dejes envolver por la culpa, la ira o la frustración, porque estas emociones sólo te arrastrarán más abajo y dificultarán el progreso futuro. Aprende de tus errores y perdona. Luego vuelve a poner la cabeza en el juego y concéntrate en tus objetivos.

Por qué no tenemos autodisciplina, y cómo podemos abordarla o iniciarla

Una de las habilidades vitales más cruciales que hay que desarrollar es la capacidad de autodisciplina para quienes acaban de empezar en la vida (¡y para todo el mundo!).

Es como un superpoder: empecé a hacer ejercicio y a comer más sano y a meditar y a escribir más cuando desarrollé algo de autodisciplina, dejé de comer chatarra y empecé a comer alimentos buenos, empecé a hacer predicciones y a escribir libros, leo más y trabajo antes. No soy perfecta, pero he aprendido mucho.

Pero si no desarrollas la autodisciplina, ésta causa problemas: problemas de salud, distracción, procrastinación, problemas financieros, desorden, cosas que se acumulan y te abruman, y mucho más.

Desarrollarla es una habilidad muy importante, pero la mayoría de la gente no sabe por dónde empezar. Este libro también está escrito para ayudarte a empezar.

1.   Encontrando la motivación:

¿Cómo puedes motivarte para empezar? La mayoría de nosotros no queremos reflexionar sobre nuestra falta de disciplina, y mucho menos emprender un montón de acciones. La motivación para mí surgió al darme cuenta de que lo que hacía no funcionaba. Ignorar los problemas sólo empeoraba las cosas. Intentar ser cuidadoso pero hacerlo a medias sólo me hacía sentir mal conmigo mismo. Ser absolutamente indisciplinado me ha causado mucho dolor.

Podemos empezar a practicar con motivaciones, o con las motivaciones que más te muevan.

2.   Pequeñas acciones:

Realizar pequeñas acciones es una de las cosas más importantes que puedes hacer para mejorar la autodisciplina. Abordar proyectos enormes e intimidatorios puede parecer abrumador, así que no lo hagas. En su lugar, aborda acciones sencillas, cosas tan pequeñas que no puedas decir que no. Cuando empecé a hacer flexiones por la mañana, por ejemplo, fue cuando estaba en mi primer año en una institución terciaria y mis amigos se reían de mí por mi forma corporal delgada. Así que me propuse quedarme con veinte flexiones cada mañana al levantarme. Hoy puedo hacer más de cuarenta flexiones y hasta cincuenta si me apetece.

3.   Entrenamiento para el malestar:

Una de las razones por las que no somos autodisciplinados es que nos escondemos de las cosas difíciles e incómodas. Preferimos hacer las cosas familiares, cómodas y fáciles. Y nos estrellamos con las distracciones, las fotos, los juegos, en lugar de enfrentarnos a nuestras tareas desafiantes y estresantes o a las finanzas. Esta huida de la incomodidad nos ha arruinado la vida. Lo que puedes decirte a ti mismo es que estás huyendo de la incomodidad. Entrarás en la incomodidad, poco a poco, y te harás bueno en estar incómodo. Este es un superpoder más tuyo.

Cuando empecé a empujar en una institución terciaria, solía flipar cuando empezaba a sentir la incomodidad hasta que un responsable de deportes de mi institución me dijo: "Cuando empieces a sentir dolor, entonces empezarás a hacer los empujes reales y efectivos". Entonces dejé de flipar y me centré más en un número determinado de flexiones a realizar.

Empuja hacia la incomodidad, una pequeña tarea cada vez. Observa cómo se siente. Comprueba que no es el fin del mundo. Comprueba que eres lo suficientemente genial como para soportar la incomodidad, y que los resultados merecen la pena.

4.   La atención plena y los impulsos:

Vas a tener el deseo de dejar o posponer algo por ahora. Esos impulsos no te sirven. En lugar de ello, desarrolla la conciencia en torno a esos impulsos, y comprueba que no necesitas seguirlos.

Una buena forma de hacerlo es darte un tiempo en el que sólo puedas hacer X. Para empezar, no puedes hacer nada durante los próximos 10 minutos, excepto escribir el capítulo de tu libro (o hacer ejercicio, meditar, etc.). Lo verás fácilmente cuando tengas ganas de procrastinar o te encuentres con distracciones, porque o escribes el libro o no lo haces. O escribes el capítulo de tu libro o te quedas sentado sin hacer nada, cuando tengas el impulso, dite a ti mismo que no puedes seguirlo.

5.   Entrenamiento por intervalos:

Puedes entrenar utilizando el entrenamiento por intervalos si combinas los elementos anteriores en un sistema de rachas o intervalos:

- Establece tu intención de practicar la autodisciplina y no hacerte más daño.

- Concéntrese en la tarea (escribir, dibujar, entrenar la fuerza, meditar, etc.);

- Pon un temporizador de 10 minutos. Si 10 es demasiado tiempo, entonces 5 minutos también es bonito. No vayas más allá hasta que a los 10 minutos te salga bien, entonces aumenta a 12 y finalmente a 15. A mí no me parece que necesite ir más

181

allá de 15-20 minutos, incluso cuando trabajo muchísimo.

- No hagas nada más que sentarte y observar tus impulsos, o empuja la tarea hasta tu incomodidad.

- Date un descanso de 5 minutos cuando suene el temporizador.

- Repite.

Debes prepararte durante varias veces, o quizás una o dos horas. Luego haz un descanso más largo, y después haz otra serie de intervalos.

Este tipo de entrenamiento por intervalos es fantástico porque no es tan duro, realmente te estás entrenando en la incomodidad y observando los impulsos, y así puedes conseguir mucho. Este es el principio en el que se basan los éxitos de Lionel Messi y Cristiano Ronaldo. Estos dos futbolistas entrenan más que cualquier otro jugador del mundo, y eso les ha ayudado exuberantemente a conseguirlo.

Algunos buenos ejemplos de autodisciplina

Algunos buenos ejemplos de autodisciplina deben empezar desde dentro si se quiere filtrar todo tu proceso de pensamiento. Estos son algunos ejemplos de buena disciplina.

1.   Levántate temprano: Rejuvenece tu mente y controla tu proceso de pensamiento durante todo el día. Alguien como yo se levanta todos los días a las 5 de la mañana, aunque no tenga ningún sitio al que ir ni nada que hacer.

2.   Respeta a tus padres: Son cosas impagables que hacen por ti. Demuestra tu devoción por ellos de palabra o de obra. Que sea alabando a tu madre por su comida, o agradeciendo a tu padre por dejarte en casa de tu amigo.

3.   Reduce los sentimientos como los celos y el odio; reducen tu eficacia.

4.   Respeto a los demás: El respeto debe mostrarse a todos. Como siempre se ha dicho, el respeto es mutuo. Nunca hay que

menospreciar o subestimar a nadie porque el día de mañana cualquiera puede ser grande.

5.   Disfruta de la vida al máximo: Sí, disfrutar de la lectura correctamente no significa dejar de lado la diversión.

6.   Quiérete y valórate.

CAPÍTULO NUEVE. LIDERAZGO RESILIENTE

El liderazgo resiliente en las cuatro C requiere fortaleza mental, es decir, disciplina, dedicación, competencia y confianza.

Control – El control significa un sentido de autoestima y explica hasta qué punto una persona se siente en control de su vida y sus circunstancias. Es importante destacar que también describe hasta qué punto pueden regular sus emociones mostrando.

Una persona psicológicamente dura generalmente se limitará a "seguir adelante", independientemente de cómo se sienta y de lo optimista que sea su enfoque, que a menudo puede levantar el ánimo de quienes le rodean.

Compromiso – El compromiso tiene que ver con la orientación a los objetivos y la "adherencia". Explica hasta qué punto alguien está dispuesto a establecer objetivos sobre lo que debe hacer y a asumir compromisos tangibles que se esforzará por cumplir una vez que los haya asumido.

En conjunto, la disciplina y la determinación son lo que la mayoría de la gente quiere decir cuando habla de resiliencia, y en realidad son una respuesta fuerte a la adversidad. Pero la resiliencia es principalmente un atributo pasivo y es sólo un aspecto de la Fuerza Mental.

Competencia – La competencia explica hasta qué punto la persona supera sus límites, abraza el cambio y acepta el riesgo. Se trata de obtener todos los resultados, positivos y adversos.

Las personas mentalmente duras ven las dificultades, la transición y las penurias como oportunidades más que como riesgos, y apreciarán la oportunidad de aprender y crecer en una nueva situación desconocida. Alguien cuya puntuación sea alta en dificultad disfrutará normalmente de los lugares nuevos, de la gente nueva, de la innovación y de la creatividad.

Confianza – La confianza completa el cuadro y define la confianza de un individuo en su capacidad y la confianza interpersonal que tiene para controlar a los demás y afrontar los conflictos y los retos. Las personas mentalmente duras que puntúan alto en confianza cuando se enfrentan a un reto tendrán la confianza en sí mismas para manejar la situación, y la fuerza interior para mantenerse firmes cuando sea necesario. Su confianza les ayuda a expresar sus puntos de vista y a tener confianza para afrontar los retos con valentía.

Cada una de estas 4 C tiene un efecto significativo en tu fortaleza mental.

Las organizaciones necesitan un liderazgo que sea resistente. También necesitan ser capaces de actuar bajo una presión extrema al más alto nivel con la continua y creciente demanda de líderes para mejorar el rendimiento de la organización. Necesitan ser lo suficientemente duros mentalmente para tomar decisiones racionales y correctas y para ayudar a las personas que les rodean a hacerlo.

Hay que ser mentalmente duro para ser un líder activo y con éxito. Necesitan establecer y comunicar la visión, llevar a la gente con ellos en el camino, luchar por el éxito y aprovechar las oportunidades de los inevitables contratiempos y fracasos en el camino. Estas funciones requieren un liderazgo eficaz, y la fortaleza mental requiere un liderazgo eficaz.

El trabajo de un líder consiste en animar, influir y dirigir el éxito de las personas hacia los objetivos deseados. Ser un líder exitoso y resistente le ayuda a lograr esto a través de un compromiso más significativo. Este compromiso es fundamental y, de hecho, la alta calidad de las mediciones de la capacidad de liderazgo identifica el compromiso como dos de las tres habilidades de liderazgo fundamentales:

- Compromiso individual

- Compromiso con el equipo

- Determinación para cumplir.

Para muchas personas que ocupan puestos de liderazgo, tanto el trabajo como la vida se están volviendo más difíciles, y muchas informan de que el estrés es cada vez mayor. La fortaleza mental es un factor importante para determinar cómo responde una persona al estrés, la presión y los retos, y cómo eso influye en la eficacia, la salud y los comportamientos positivos.

La fortaleza mental ofrece herramientas de crecimiento para los líderes y planes para ayudarles a rendir bajo presión y animar a los demás a su alrededor. Esto conduce a una mayor eficiencia, salud y un mejor equilibrio entre la vida laboral y personal en muchos casos.

Mental Toughness Partners llevan a cabo "Programas de Desarrollo de la Dureza Mental para Líderes" para ayudarles a desarrollar técnicas para el éxito bajo presión, lo que conduce a un mejor rendimiento, bienestar y equilibrio de la vida laboral. Dinos para saber más sobre los sólidos paquetes de desarrollo de liderazgo y coaching.

CONSTRUIR UNA ORGANIZACIÓN RESISTENTE

Construir una organización resistente es vital para el éxito de todas las empresas en estos tiempos de cambio constante. Mental Toughness Partners lleva a cabo programas específicos sobre "Construcción de organizaciones resilientes" para ayudar a la empresa a cultivar una actitud de dureza organizativa, mejorar la dureza mental de sus empleados y crear un ambiente positivo y mejorar el bienestar. Esto, a su vez, conducirá a la mejora del rendimiento.

La dureza mental te proporcionará las herramientas y los recursos para ejecutar los programas internos. Las organizaciones se enfrentan a un rápido cambio estructural debido a la incertidumbre económica y al avance tecnológico, que amenaza su supervivencia a menos que puedan reaccionar rápida y decisivamente ante él. De ahí que sea vital desarrollar organizaciones robustas.

En estas situaciones, una de las claves fundamentales del éxito es la resistencia y la fortaleza mental de sus trabajadores. Adaptarán su actitud mediante una formación especializada en resiliencia para percibir la dificultad y el cambio como una oportunidad, no como un peligro, lo que a su vez crea una mejor cultura y aumenta la retención y la productividad.

Los trabajadores resilientes son esenciales para las empresas productivas. Al fin y al cabo, las personas son el alma de cualquier organización, tanto si los tiempos son buenos como malos. Cuando se contrata o promociona a los empleados, la resistencia y la estabilidad mental no están en lo alto de la lista de comprobación para la toma de decisiones. Pero quizá deberían. La resistencia mental puede mejorar el rendimiento de una persona hasta en un 25%, así que considera el impacto en la empresa en general si se puede mejorar la resistencia mental de todos.

En algunos otros ámbitos particulares de la vida, me gustaría pensar en la fortaleza mental. Se trata de áreas en las que nos enfrentamos a retos integrales y que, en efecto, implican una dureza mental que incluye:

- NEGOCIOS: todo el mundo es empresario o empresaria, nos guste o no, porque compramos y vendemos. O tienes un empleo o no. En el momento en que obtienes un nombramiento laboral, negociarías tu remuneración. En otras palabras, es una forma de negocio.

- EJÉRCITO

- POLÍTICA: uno de los ámbitos de la vida en los que nos encontramos con un duro desafío mental es la política. El estrés, la tensión y la presión que conllevan las aspiraciones, la campaña y las elecciones, sobre todo, no se pueden contabilizar ni evaluar.

Vamos a hablar ampliamente de ellos, uno tras otro, a continuación.

CAPÍTULO DIEZ. DUREZA

MENTAL EN LOS NEGOCIOS

¿Cuántos días te sientes cansado y confuso todo el día? ¿Caíste en la trampa de saltar de una misión a otra sin terminar el proyecto real? ¿Te abruma la sensación de desorganización, falta de dirección y vaguedad de pensamiento? Practicar la fortaleza mental en todo lo que haces es un factor importante para obtener buenos resultados.

La fortaleza mental es un atributo que determina cómo vas a cumplir una misión y con qué eficacia puedes adaptarte a tu entorno y a sus retos. Este libro muestra cómo la fortaleza mental es un factor crítico que te ayuda a rendir al máximo de tu capacidad. Es una cualidad que puede mejorarse o reforzarse de varias maneras; aumentará tu conciencia. Es una cualidad que puede desarrollarse o reforzarse de muchas maneras; aumentará tu conocimiento de tu fortaleza mental y te mostrará cómo puedes alcanzar el éxito empresarial cuando la aplicas.

¿Qué es la fortaleza mental?

Aunque hay muchas definiciones de la fortaleza mental, también se conoce como fuerza mental, la capacidad de recuperarse de los contratiempos y las decepciones, es el concepto estándar y generalmente aceptado desde los campos del deporte y los negocios, para ser mentalmente resistente, tener una sana confianza en uno mismo, perseverar en los retos y responder eficazmente a las situaciones con calma, concentración y presencia de ánimo.

Esta habilidad dominada se está convirtiendo rápidamente en una ventaja competitiva para los atletas, los profesionales de los negocios y hoy en día en la vida en general. La fortaleza mental es una fuerza en la vida, un rasgo y una mentalidad que te permite tener éxito en los negocios y en la vida. Te lleva a través de los momentos difíciles y te capacita con menos esfuerzo, menos presión y menos tensión para dar lo mejor de ti. Te convertirás en una persona más robusta y positiva en cualquier cosa que hagas, una vez que hayas aprendido y desarrollado esta mentalidad dentro de ti.

Mi experiencia trabajando con profesionales de los negocios, como mi padre, el amigo de mi padre, mis profesores, demuestra que la fortaleza mental es el rasgo de carácter fundamental que impulsa el rendimiento individual y ayuda a otras habilidades mentales, como el valor, la resistencia y la flexibilidad mental, a rendir al máximo.

CAMBIAR LOS HÁBITOS MENTALES

A Lydia, una nueva líder en una empresa de telecomunicaciones, su jefe le pidió que hiciera una presentación en una conferencia para la empresa. Ya ha hablado ante audiencias más pequeñas, pero ése sería su primer encuentro con una multitud de mil personas. Experimenta la presión de tener una buena actuación. Para ella, sería fácil inventarse alguna razón y volver a salir.

Acepta el reto. Evita confiar en la ansiedad para ser mentalmente dura y llenar su mente de pesimistas "y si". En su lugar, prepara su presentación y a sí misma en el ojo de su mente reexperimentando esos momentos de máximo rendimiento cuando los presentó con éxito.

Se imagina incorporándolos a su última presentación, ya que siente la tensión de esos momentos. Comprende que tiene que enfrentarse a sus hábitos pasados para que le ayuden a desarrollar otros nuevos y a ser mentalmente fuerte. Comprende que si imagina vívidamente que tiene un nuevo patrón, su cerebro empezará a recablear automáticamente para que se produzca la conexión mental.

Lydia está ganando dureza mental y estará preparada para presentar. Una advertencia: La fortaleza mental no significa que te estés convirtiendo en un matón, o que sientas la necesidad de mostrar comportamientos rebeldes o arrogantes hacia alguien o algo para demostrar tu poder mental.

Lo que significa es que has aprendido y construido tu fuerza interior, tu determinación, tu versatilidad y tu fortificación enfocada hasta tal punto que puedes manejar cualquier cosa que se te presente, superar tus expectativas ordinarias y ser óptimamente eficiente y exitoso en la vida. Visto desde la perspectiva de las artes marciales, es un arte defensivo de autogestión más que agresivo.

Con la Dureza Mental, las personas en los negocios, ya sean empresarios o empleados, alcanzarán el éxito se inspiran en varias formas. Tanto si diriges una empresa y un equipo (por ejemplo, dirigiendo un fondo de inversión, coordinando el desarrollo de un negocio, elaborando una estrategia) como si te dedicas individualmente como vendedor o desarrollador de éxito, la perspectiva de éxito se hace más evidente cuando ejercitas la fortaleza mental en todo lo que haces.

Algunos de los beneficios que obtienes de la fortaleza mental son tu capacidad para:

- tener una visión, una dirección y un plan claros que contribuyan a la consecución de los objetivos personales y profesionales;

- reorientar tus pensamientos a medida que la situación cambia;

- superar a tus rivales estando continuamente concentrado, optimista y bajo presión;

- hacer todo lo posible por ser positivo;

Tu superioridad en la competición empieza primero en tu mente.

El éxito en los negocios y en la vida depende de tu capacidad no sólo para aprender lo que haces, sino también lo que piensas y lo que sientes. Esto significa que la acción humana comienza en la mente, uniendo emociones, resultados deseados, imaginación e ingenio.

Sentirse regulado es el primer paso para tener el control. Debes hacer crecer tu mente para mejorar tus resultados y la ventaja competitiva. Para convertirte en un campeón de los negocios y de la vida, primero tienes que ser un ganador en tu cabeza. Piensa en una ocasión en la que te haya ocurrido algo así, mientras lees la historia que sigue.

Michael es un profesional de las ventas muy querido y respetado. Está relajado, concentrado y al mando cuando hace presentaciones a los clientes potenciales. Michael llega a la oficina del comprador en esta llamada de ventas en particular y ofrece con confianza su nombre a la recepcionista. Se espera que se presenten siete candidatos, incluido él mismo, todos compitiendo por un trato. Cuando Michael mira a su alrededor, ve que muchos de ellos ensayan en silencio; otros parecen incómodos.

Michael se da cuenta de que es demasiado tarde para prepararse y ensayar cuando faltan pocos minutos para la presentación. Está confiado y preparado. Ha hecho cientos de simulacros de presentaciones en su mente, y se está convirtiendo en una rutina que demuestra confianza. Antes, ensayaba, se ejercitaba y visualizaba sus resultados deseados para poder resolver cada pregunta y responder a cada reto. Sabe que gestionar las preguntas significa controlar la velocidad de la presentación, la dirección y las ventas.

La recepcionista llama a Michael por su nombre. Entra en el despacho privado con fe; confía en que puede vencer a sus rivales y ganar el trato. Está en el momento, mental y emocionalmente. Sus pensamientos se centran sólo en esta presentación, no en la última ni en la siguiente. Llena su mente con una actitud de poder hacer y proyecta su resultado deseado. Está jugando para ganar.

CONCLUSIÓN

¡Gracias por leer este libro!

¿Recuerdas cuando te sentabas en el punto de partida, incapaz de liberarte de las cadenas de los pensamientos excesivos? Lo sé bien, yo también estuve allí. Levantarse y decir: "Estoy preparado para hacer un cambio", requiere mucho valor. Me entristece pensar que, a lo largo de toda su vida, muchas personas siguen pensando y analizando en exceso, e ignorando las ideas y la comprensión que una mente libre puede entender. Es fácil deslizarse hacia las rutinas sin estrés de comer sin sentido, buscar cada pocos minutos el teléfono o la tableta, e irse a la cama muy tarde hasta que el cuerpo está fuera de servicio. A menudo, ceder parece demasiado fácil, y dejar que lo fácil eclipse lo que merece la pena trabajar. No es necesario que seas esclavo de los pensamientos excesivos, y tal vez puedas aprovechar lo que has experimentado para ayudar a cambiar la vida de las personas que te rodean.

Tal vez conozcas a alguien que tiende a pensar demasiado, a soportar los problemas cotidianos y a preocuparse como lo hacías tú al principio de tu viaje. Habla de tender la mano y compartir lo que has descubierto. Nada sienta mejor que compartir las nuevas experiencias

201

con alguien que puede utilizarlas para realizar los cambios positivos en sí mismo que tú has visto producirse. Quizá sea un jefe, un compañero o un amigo íntimo. Muchas personas de diferentes ámbitos de la vida se beneficiarían de las guías de este libro que cambian la vida, así que ¡por qué no compartir tu historia!

Ya has dado un paso hacia tu mejora.

¡Mis mejores deseos!

Guía de autodisciplina

Una guía para dejar de procrastinar, lograr tus metas, construir hábitos diarios, desarrollar la fuerza mental y la concentración para lograr tus objetivos (Spanish Version)

INTRODUCCIÓN

¡Gracias por comprar este libro!

¿Te has preguntado alguna vez qué hace que alguien sea un buen atleta? ¿O un buen líder? ¿O un buen pariente? ¿Por qué algunas personas logran sus objetivos mientras otras fracasan?

¿Qué es lo que marca la diferencia?

Solemos responder a esas preguntas pensando en el talento de los mejores. Debe ser el científico más ingenioso del laboratorio. Es más rápido sobre el terreno que cualquier otro. Es un brillante estratega en el mercado.

Pero creo que todos sabemos que la historia tiene más que eso.

Cuando empiezas a investigar, tu talento e inteligencia no juegan un papel tan importante como podrías pensar. Los estudios de investigación que he encontrado te dicen que los conocimientos sólo representan el 30% de tus logros y, eso, en la parte superior.

¿Qué hace que el efecto sea mayor que el talento o la inteligencia? La tenacidad mental.

Las investigaciones están empezando a demostrar que tu resistencia mental, o "grit", como se llama, desempeña un papel más decisivo en la consecución de tus objetivos fitness, empresariales y vitales que cualquier otra cosa. Esto es una buena noticia, porque no puedes hacer mucho con los genes con los que has nacido, pero puedes hacer mucho para desarrollar la tenacidad mental.

¡Disfruta de tu lectura!

CAPÍTULO UNO. MIDIENDO TU FORTALEZA MENTAL

Medir tu fortaleza mental es sólo una fuente de información. Es esencial reconocer que habrá otros tipos de pruebas sobre tu fortaleza mental, como lo bien que te desenvuelves bajo presión.

Respondiendo a las siguientes afirmaciones, haz un balance de tu grado de fortaleza mental. Responde a cada una de ellas con rara vez, a veces o siempre.

• Cuando surgen imprevistos en el lugar de trabajo, me hacen descarrilar._____.

208

- Soy confiable. _____

- Cuando estoy bajo presión, tiro la toalla. _____

- Me relacionaré con los retos que tengo ante mí._____.

- Al primer indicio de problemas, me alejo. _____

- Todavía pienso en cometer el mismo error que cometí hace poco._____.

- Cuando estoy bajo presión, sigo releyendo los mismos detalles. _____

Comprueba tus reacciones. Son una instantánea en el tiempo. Recuerda que la fortaleza mental es una característica que determina cómo realizarás una tarea y con qué eficacia responderás a tu entorno en algunos aspectos. Es un factor clave para rendir al máximo de tus capacidades y puede desarrollarse o reforzarse de muchas maneras.

¿Cómo sabes que eres mentalmente fuerte?

Si estás cultivando la fortaleza mental, ¿qué pruebas debes buscar que te lo indiquen? ¿Cómo sabes que eres psicológicamente duro? Aquí tienes una lista de corroboraciones parciales. Quizá puedas encontrar algunas más.

En lugar de perder la calma, te mantienes tranquilo y concentrado bajo presión.

Haces un compromiso y, en lugar de romperlo, lo cumples.

En lugar de luchar rígidamente contra ellos, te adaptas a los obstáculos que se te presentan.

Al primer indicio de incertidumbre, te aferras a la actividad, en lugar de rendirte.

En lugar de los detractores, te rodeas de personas más positivas y con actitudes negativas.

Cuando aceptas ser más enérgico mentalmente, las perspectivas de logro y realización de más son más brillantes, más ricas y más realizadas. Empiezas a convertirte en un ser humano más creíble y digno de confianza. Haz que tu creación sea suave y cautelosa mientras navegas por las aguas, a menudo confusas y traicioneras, de los negocios, las relaciones y la vida. Asumir este tipo de desarrollo personal y profesional es como entrenar un nuevo músculo de gimnasio; requiere tiempo, compromiso y dedicación, ¡y no ocurre de la noche a la mañana!

Recuerda el adagio "Roma no se hizo en un día". Y para un refrán más positivo, recuerda siempre esta frase resiliente "NUNCA TE RINDAS" mientras te enfrentas a una situación que puede ser desalentadora, de confrontación o abrumadora. Por favor, ¡vamos! Desde tus raíces, has recorrido un largo camino para rendirte.

TÉCNICAS DE ACCIÓN DE FORTALEZA MENTAL

Presta mucha atención a tus sentimientos. Pasa de preocuparte por el control de crucero a ser consciente de lo que estás haciendo.

Controla tu reacción a todas las situaciones, emocionalmente. A la primera señal o sensación de presión o de no querer afrontar un reto, deja de inmediato lo que estás haciendo, respira profundamente unas cuantas veces y sé consciente de ello. Luego pregúntate: "¿Permito que ciertos acontecimientos o circunstancias controlen cómo reacciono emocionalmente, o controlo cómo quiero responder?".

Visualízate como alguien poderoso, con recursos y victorioso cuando te enfrentes a situaciones difíciles. Esta técnica puede utilizarse para mejorar un discurso de ventas o la precisión de un deporte.

Dos formas realistas de desarrollar la fortaleza mental que necesitas en los negocios y en la vida:

Si tuviera que elegir un solo atributo y característica que me llevara del instituto y que tuviera un impacto significativo en mi vida, sería la fortaleza mental, sin duda. Mis profesores me adoraron durante toda la secundaria y me involucraron en muchas actividades extracurriculares, como debates, concursos de preguntas y respuestas, becas ejecutivas, prefectos escolares, concursos, etc. Solía estar muy presionada porque estaba demasiado involucrada en ello, y en un momento dado, sentí que me castigaban a propósito. Y mis compañeros me preguntan cómo he llegado a ser brillante porque siempre he estado estresada. Les estaré eternamente agradecida por todos esos intensos sentimientos, tensiones y emociones que sustentan mi vida actual. Tengo que advertir que subir al escenario o a los pedestales y enfrentarse al público no es fácil. El miedo que conlleva es misterioso, así como el ritmo al que late tu corazón. Hay momentos en los que olvidarás todas las cosas que sabes ante el miedo que te produce enfrentarte a la multitud. El terror que conlleva es misterioso, y el ritmo al que late tu corazón. Hay momentos en los que olvidarás todas las cosas que sabes ante el temor de que te enfrentarás a la multitud.

Por supuesto, aprendí la inmensa importancia del trabajo en equipo, la comunidad, el liderazgo y otros valores vitales, pero lo que más agradezco es la fuerza que me inculcaron desde mi instituto. Hoy hablo con fe allá donde voy, incluso cuando me equivoco, pero siempre estoy dispuesta a que me corrijan. Pero primero, tendrás que escuchar mi propia opinión y luego demostrar que me equivoco. Siempre me he caracterizado por mi confianza y compostura.

Si crees que los jugadores de fútbol u otros atletas profesionales se crían con un tipo de fortaleza mental diferente y que es algo natural para ellos desde el principio, te equivocas. La fortaleza mental es algo que puedes mejorar y desarrollar con el tiempo, independientemente de lo que hagas para ganarte la vida.

Si te sientes derrotado mentalmente, las posibilidades de que llegues a donde quieres son escasas. Tanto si pensamos en el deporte como en la industria, ganar, ante todo, será absolutamente necesario. Cuando tienes una mentalidad fenomenalmente positiva, no hay nada que no puedas o llegues a ser.

Una gran parte de tener una actitud centrada es ser capaz de seguir avanzando cuando las cosas se ponen extremadamente difíciles, mantenerse positivo cuando la decepción amenaza y persistir una y otra vez hasta que finalmente llegas a tu destino. Esa es la verdadera definición de la fortaleza mental: mostrar una enorme cantidad de confianza, lucha y compromiso hacia una misión que persigues con pasión. Cuando observes a cualquier grupo de personas de alto rendimiento, independientemente del sector, te darás cuenta rápidamente de que han demostrado una fortaleza mental excepcional para llegar a donde están.

Una de las mejores formas de desarrollar la fortaleza mental es mediante la práctica diaria de la conciencia. La atención plena consiste en centrar tus energías y emociones sin ningún tipo de juicio en el momento presente. Cuando estaba en el instituto, conocí la influencia del entrenamiento de mindfulness. Estaba a punto de salir al escenario para un debate, y la multitud me había superado, y el espíritu del miedo ya había entrado en mí. Mi instructor en la clase me habló de cómo conquistar el momento y controlarlo.

No hace mucho, tuve la oportunidad de dirigir la empresa de mi madre. Era más o menos como si trabajara como contratista aquí y allá para hacer las empresas. Para mí, era el momento adecuado porque siempre me gusta ver cómo entra el dinero.

Puedo dar dos formas prácticas, basadas en mis propias experiencias, que pueden ayudarte a desarrollar la fortaleza mental y la resiliencia en los negocios, empezando hoy mismo.

1.   Practica la vigilancia continua.

Practicar la atención plena todos los días cambia el juego. Los estudios no sólo demuestran la importancia de ser consciente y describen los increíbles beneficios que ofrece, sino que personas como yo lo recomiendan basándose en su experiencia personal.

La atención plena calma la mente del mundo ruidoso y caótico en el que vivimos, y esa calma, en efecto, te dota de la energía y la paz mental necesarias para seguir avanzando incluso ante dificultades extremas. Estar en sintonía con el momento presente y vivir plenamente en el lugar en el que te encuentras ayuda a disminuir la ansiedad que frena a otras personas y les da la fuerza para concentrarse en lo más importante.

Practicar el mindfulness a diario no sólo te ayuda a desarrollar tu fortaleza mental, sino que puede cambiar tu vida de muchas maneras diferentes, como reducir tu ansiedad diaria y mejorar drásticamente tu bienestar general.

2.   Sal de tu zona de confort habitual.

Esta puede ser mucho más difícil que practicar la concienciación, pero convertir en un hábito diario el aventurarse fuera de tu zona de confort crea una fortaleza increíble. Al igual que vas al gimnasio para que tus músculos se fortalezcan físicamente, salir de tu zona de confort cada día es lo que te permite mejorar tu capacidad de dureza mental.

Mientras tuve la oportunidad de ser el gerente de mi madre, ella me enviaba a lugares a los que no puede enviar a sus empleados, a tareas más complicadas. Podía estar todo el día fuera, a veces tratando de hacerlo. Volvía a casa y me derrumbaba como si Tyson Fury me hubiera derrotado por completo. Y cualquier día que me sintiera reticente cuando me mandara a hacer ese tipo de recados, me recordaría quién voy a ser diciéndome: "Los días en que te sientes más incómodo son los días en que te conoces mejor a ti mismo y lo increíble que puedes ser".

Cuanto más intento salir de mi zona de confort, más fuerte y mejor me siento, por muy incómodo que sea en ese momento. Una de las primeras cosas que hago cuando programo mi día la noche anterior es preguntarme cómo puedo aventurarme fuera de mi zona de confort para ese día en particular. Si siempre vas a lo seguro y trabajas sólo fuera de los límites de tu zona de confort, no puedes desarrollar la fortaleza mental ni hacerte resistente.

En resumen, si quieres dar un paso hacia tu grandeza y convertirte en la mejor versión de ti mismo, ser sano y mentalmente duro no es negociable. Prueba estas dos prácticas. Puede que te ayuden a conseguirlo.

CAPÍTULO DOS. DUREZA MENTAL PARA EMPRESAS Y EQUIPOS EMPRESARIALES

Todos estamos de acuerdo en que el 80 por ciento del éxito es psicológico y el 20 por ciento del éxito es la habilidad. Todos lo necesitamos todo. Tienes objetivos financieros que cumplir al final del trimestre. Y no se trata de tu equipo. Quieres que el equipo de dirección esté tan centrado en todos. Pero no es así. Te reúnes con el equipo directivo para explorar estrategias que mejoren la moral y el compromiso de los empleados.

- Un programa de creación de equipos y de aumento de la moral

- Un plan de concienciación sobre los valores fundamentales

- Alimentar a los trabajadores de bajo rendimiento y contratar nuevos talentos.

Pero el hecho es que se trata de remedios que dan resultados mixtos y rara vez son soluciones permanentes.

La causa número uno del bajo rendimiento de un empleado es la decepción ante situaciones que se siente incapaz de cambiar. Puede ser el resultado de uno de estos problemas o de una combinación de ellos:

- Relaciones con los compañeros de trabajo

- Condiciones del mercado

- Clima laboral

- Cultura empresarial

- Oferta de productos

- Relaciones con los directivos

- Posición faltante

Esto es lo común cuando un empleado experimenta un obstáculo que se siente impotente para resolver, ya sea:

- Protesta contra ella

- Aguantar

- Ignorarlo

El resultado es la frustración y el debilitamiento del deseo de triunfar.

Lo que falta es la mentalidad y las estrategias de comunicación de alto nivel. Esos dos elementos recuperan la autonomía del empleado y le proporcionan un camino hacia el éxito, independientemente de la dificultad.

Esto es lo que ofrece el éxito de la fortaleza mental.

Los psicólogos del deporte suelen utilizar la palabra "dureza mental" para describir "una ventaja psicológica construida que ayuda a los atletas a enfrentarse a las exigencias, el estrés y las distracciones de su deporte".

Cuando un deportista se enfrenta a un miedo o a un patrón de comportamiento repetitivo que interfiere con su éxito en su máxima capacidad, la preparación para la fortaleza mental es lo que le ayuda a superar sus inclinaciones reactivas, a mantenerse centrado, tranquilo y en control en todo momento.

En el contexto empresarial, es lo mismo. La preparación para la fortaleza mental proporciona a los ejecutivos de las empresas y a sus equipos acceso a las habilidades de resolución de problemas a la carta. Esto les permite trascender rápidamente los obstáculos organizativos situacionales e interpersonales, de modo que puedan trabajar con orden, dedicación, facilidad y productividad para alcanzar los objetivos comunes.

Mucho valor empresarial crítico de la fortaleza mental puede ser difícil. La inmensa mayoría de los profesionales de éxito estarían de acuerdo en que no es fácil hacer su trabajo. El diferenciador crucial entre los profesionales de éxito constante y los que se quedan cortos es el deseo de perseverar cuando se producen momentos difíciles. Los valores específicos de la dureza mental empresarial incluyen

1.   Te permite superar el miedo: uno de los pasos más importantes en el camino hacia la fortaleza mental es superar el miedo al fracaso. Aunque esto no significa una ausencia total de ansiedad, un individuo mentalmente duro sabe que no gana nada con el estrés o la preocupación. Es esencial tomarse tiempo para considerar las tácticas, pero una vez tomada la decisión, una persona mentalmente dura puede seguir el objetivo de forma agresiva, comprometiéndose con la tarea mientras deja de lado el miedo.

2.   Te permite establecer objetivos y competir contigo mismo, subiendo a la cima con dureza mental. En tiempos de adversidad, los objetivos agresivos pueden llevar a una persona. Al fijarse en el resultado de sus esfuerzos, los obstáculos o los reveses temporales no disuaden fácilmente a un profesional mentalmente duro. Existe una clara correlación entre las personas mentalmente duras y las que son

competitivas, y el tipo de competición más conmovedora, satisfactoria y segura puede ser desafiarse a sí mismo. Un individuo sólo puede desarrollarse de verdad si se le reta a superar las expectativas, y eso incluye las habilidades profesionales.

3.   Te permite aceptar las críticas y luego matarlas. Las críticas deben ser reconocidas y valoradas, sobre todo si proceden de aquellos en cuya opinión confía el profesional. Te ayudan en el proceso de endurecimiento. Un profesional puede impulsar mucho su desarrollo profesional si se humilla y escucha las críticas. Aun así, se necesita mucha fortaleza mental para aceptar las críticas constructivas y utilizarlas para mejorar. Un cerebro empresarial auténticamente resistente sabe que incluso los comentarios más duros del adversario más acérrimo pueden proporcionar una valiosa visión de las vulnerabilidades que luego pueden convertirse en puntos fuertes.

4.   Te lleva a practicar la serenidad y a vivir en el presente: mantener la concentración es uno de los aspectos más importantes de un profesional de los negocios mentalmente duro. Comprender el mensaje global de la Oración de la Serenidad y ser siempre consciente

de la situación actual ayudaría a un profesional a reflexionar y trabajar con mayor eficacia. En resumen, ver los errores del pasado como oportunidades de aprendizaje, y distinguir entre las circunstancias que están y no están en el control de un profesional, permitiría el desprendimiento de las emociones personales, evitando un efecto negativo en la autoeficacia. Los profesionales de éxito mantienen las cosas en perspectiva y canalizan sus energías hacia los resultados que están dentro del locus de control de la persona.

5.   Te ayuda en las situaciones de no ceder o rendirse: siendo un emprendedor, hay veces que vas a dudar de ti mismo. ¡Sí! Estás leyendo bien. El mundo no es todo sol y arco iris, sino que es un lugar muy mezquino y desagradable. No importa lo duro que seas; te pondrá de rodillas y te mantendrá ahí permanentemente si se lo permites. Los tiempos difíciles no han llegado para quedarse, sino que han llegado para pasar. Muchos empresarios y profesionales de éxito comparten historias de tiempos increíblemente duros, dudas sobre sí mismos y el deseo de tirar la toalla. Sin embargo, encontraron la manera de que escucharas la historia y perseveraron a través de la adversidad. En pocas palabras, nunca te rindas, ni comprometas tu

pasión, ni renuncies a un objetivo. No te enfríes a ninguna luz. El rasgo más característico de todos los empresarios y profesionales de éxito es la capacidad de seguir adelante cuando otros se han rendido, y eso requiere mucha determinación y dureza mental.

6.   Te anima a trabajar duro y a no quejarte y te inspira. Los lloriqueos y las lamentaciones no tienen cabida en los negocios. Tales comentarios SON UNA PÉRDIDA DE TIEMPO para la persona y para todos los que la rodean si no se hacen en un esfuerzo por arreglar un problema o cambiar una situación. En lugar de centrar la atención en los aspectos negativos de una situación, una persona mentalmente dura se dedicaría a trabajar duro, a encontrar un camino y a conseguir el objetivo.

Las agallas y la determinación ayudan a hacer grandes cosas a un profesional. Una persona con dureza mental trata naturalmente de resolver su competencia, ya que sabe que el trabajo duro puede llevar al éxito constante, y muy a menudo lo hace.

10 fundamentos de la fortaleza mental para los empresarios

La dureza mental en el deporte se define como la capacidad de concentrarse y aplicar soluciones, sobre todo ante la adversidad. Si alguien quería dureza mental en la industria, es un empresario. Los inversores me dicen que el éxito de las *startups* se basa en la ejecución a la hora de enfrentarse a rivales agresivos y superar la resistencia al cambio de los clientes.

1.   Define la victoria para tu negocio: No es un juego de salón para una startup. Se trata de resolver un problema con una startup con ánimo de lucro que represente un dolor real, con clientes reales que estén dispuestos a pagar por una solución y puedan hacerlo. Se trata de hacer del mundo un lugar mejor para los emprendedores sociales. Encuentra lo que hace falta para ganar pronto, o perderás por defecto.

2.   Adopta una visión empresarial que se adapte a tu imagen personal: Necesitas una visión a largo plazo que promueva la realización y la imagen de ti mismo, así como el éxito empresarial en cualquier situación. Evalúa tus puntos fuertes y débiles y comprueba cómo te llevarán al éxito empresarial. Si tu entusiasmo no está

alimentado por el sueño y tus habilidades se adaptan, no te gustará el estilo de vida.

3. Establece estrategias y procesos empresariales reales: Las cosas que no se han establecido son difíciles de conseguir, y los pasos para llegar a ellas no son visibles. Propongo un enfoque empresarial de un año, con un máximo de tres prioridades de producto y tres objetivos de proceso.

4. Priorizar las preferencias: El lema de todo empresario debe ser priorizar o perecer. La responsabilidad incluye la división y organización de tus grandes objetivos de producto en objetivos de proceso regulares. No te distraigas con lo que no es importante.

5. Practica la responsabilidad mediante la autoevaluación: aprende cada día a mirarte en el espejo. No evaluar significa no entender cómo lo estás haciendo, y eso no te da ninguna razón para el cambio. Un rendimiento excelente no requiere la perfección, que es imposible de alcanzar.

6.   Controla tus emociones para controlar tu rendimiento: aprende a controlar el nivel de excitación y alerta de tus nervios y emociones. Asegurando la salud mental y la aptitud física básicas y educándote mentalmente, trabajarás con más eficacia y los éxitos aumentarán.

7.   Prepárate para decir lo correcto: responde a las tres situaciones más comunes a las que te enfrentas. Desarrolla y graba plantillas, como tu discurso de ascensor, para ayudarte a ti y a tu equipo a mantener la atención en las interacciones clave. Así crearás confianza y reducirás la ansiedad que a menudo interfiere en el éxito del liderazgo.

8.   Cada día prepara tu mente mentalmente: Debes mejorar tu mente todos los días, al igual que un músculo. Todos los días, completa un entrenamiento mental para mejorar significativamente tu concentración y ejecutar regularmente el rendimiento. Es uno de los métodos más eficaces que se conocen para entrenar tu mente y tu cuerpo para que se mantengan bajo control y rindan al máximo de su capacidad.

9. Crea una visión persistente y positiva de la solución: Una de las piezas más críticas de tu rompecabezas de fortaleza mental es sustituir todo pensamiento negativo. Aborda todas las soluciones; un paso a la vez, donde cualquier cambio en la situación actual es un paso. Saber que centrarse sólo en los problemas es probable que cause más problemas.

10. Encuentra la forma de conseguirlo cuando te propongas hacer algo, pase lo que pase: Mientras que la etapa mental es una concentración constante en la solución, la determinación es el nivel de acción que hace que las soluciones se materialicen. La disciplina proporciona el rendimiento de esta manera. Haz de la disciplina un hábito minimizando la oportunidad y practicando conscientemente.

Para tener éxito y liderar en el entorno empresarial actual, todos necesitamos estos fundamentos de fortaleza mental. Esto requiere algo más que el conocimiento del mercado y los conocimientos técnicos. Esa es la parte divertida del reto más intenso de los empresarios. Si fuera fácil, le podría pasar a cualquiera. ¿Estás preparado para dar un paso adelante?

CAPÍTULO TRES. LA FORTALEZA MENTAL EN EL EJÉRCITO

La fortaleza mental es, como se deduce, un estado mental. Una persona normal puede aprenderlo sin formar parte del ejército. La fortaleza mental es la resistencia, la voluntad de seguir con algo a pesar de los retos, de ser objetivo, de intentar siempre mejorar, de ser fiable y constante. Creo que la fortaleza mental se alimenta de un compromiso con uno mismo o de una dedicación a una causa mayor. Lo ideal es que sean ambas cosas.

Estableciendo objetivos, esforzándose un poco más y trabajando para conseguir pequeñas victorias, cualquier ser humano puede desarrollar la fortaleza mental. Las personas mentalmente duras siempre están dispuestas a subir (metafóricamente) la montaña bajo la lluvia porque saben que la recompensa está en la cima de la montaña.

Las personas mentalmente duras saben lo que es correcto para ellas mismas, su futuro, y están dispuestas a mostrar contención, valor y sacrificio para alcanzar sus objetivos. Por eso, a menudo vemos que las personas con más éxito no son las que tienen un talento natural, sino las que han tenido que superar los obstáculos mediante el trabajo duro, la determinación y el compromiso para alcanzar sus objetivos.

El ejército hace un gran trabajo al aprovechar la inspiración y los objetivos personales de un individuo. Si quieres ser un paracaidista, un Ranger, un SEAL o un Boina Verde, tienes que ser voluntario, practicar, prepararte y demostrar que eres fuerte mentalmente. En la Escuela de Rangers, los alumnos se amontonan con pocas horas de sueño, largas caminatas, comida limitada y estrés de liderazgo para ver si aguantan la presión o se van. El entrenamiento para los SEAL y las Fuerzas Especiales ofrece retos similares para ver quién abandonará y quién tiene "agallas" mentalmente estables. La gente no abandona.

A menudo, los militares recurren al otro catalizador o motivador de la fortaleza mental, que es una causa superior. Los que se alistan en el ejército tienen un amor por las instituciones, el modo de vida, la bandera, la constitución y los valores que hacen grande a esta nación. Se les entrena para luchar por que esos ideales sigan existiendo. Se les entrena para luchar por esos ideales para que sigan existiendo. Una profunda devoción y voluntad de sacrificio está grabada en sus corazones por la causa y los soldados con los que luchan.

Ser duro mentalmente requiere que sigas compitiendo cuando tu mente necesita que te detengas. Los seres humanos tenemos un "interruptor de seguridad" en nuestro cerebro que nos pide que paremos para no hacernos daño. Los soldados son supervivientes que nacen naturalmente diseñados para conservar la energía, almacenar alimentos y simplemente vivir para sobrevivir un día más. Hay momentos en los que realmente debes apagar esa parte de tu cerebro. Te das cuenta cuando lo haces, que tu cuerpo es diez veces más fuerte que tu cerebro. Los programas de formación en el ámbito de las operaciones especiales les ayudan a aprovechar esta mentalidad. Aun así, a menudo tus experiencias y prácticas vitales crearán una resistencia y una dureza mental que nadie puede superar.

He aquí una lista de diez denominadores comunes en muchas personas que han logrado grandes cosas en su vida y siguen avanzando hacia objetivos más sustanciales y más amplios:

1.   Enfoque regular/Persistencia: ¡no empieces nunca! Haz lo que tengas que hacer cada día y cuando estés cansado, sientas pereza, etc. No importa si se trata de una buena forma física, de preparar un examen, de trabajar en una fecha límite o simplemente de levantarte de la cama con una actitud positiva cada día: hazlo pase lo que pase. Puede que descubras que todo lo que necesitabas era una buena comida e hidratación para darte la energía necesaria para mantenerte concentrado y terminar o empezar una nueva tarea.

Nadie se hace fuerte psicológicamente de la noche a la mañana. Dura toda la vida. Algunas de las personas más duras de la vida saben que tienen cierto grado de resiliencia, pero siguen diciendo cada día que tienen que trabajar en ella.

2.   Mantén la motivación: ¿Por qué te sometes a una preparación agotadora, a trabajar muchas horas o a estudiar? Esta pregunta tiene que ser respondida, no por mí. Motivarte no es tarea de nadie; es la AUTOMOTIVACIÓN la que te mantiene en marcha. Ten objetivos que veas que cada día se acercan más a su realización paso a paso. Prepárate mentalmente para las semanas, meses o incluso años necesarios para llegar a donde un día quieres estar.

3.   Ten una cita que resuene contigo: Hay un montón de citas motivacionales fantásticas para ponerte en marcha y seguir avanzando. Una para mí, en particular, es: "No tengo que engañar a la gente que cree en mí". Encuentra una que se adapte a ti. Encuentra un póster o haz un póster y míralo todos los días. Dilo cuando surja la necesidad.

4.   Entrena para competir, no sólo para sobrevivir: En términos de programas de entrenamiento de operaciones especiales, eventos atléticos o incluso negocios, ésta es la mayor diferencia entre los que se gradúan o sobresalen y los que no. Debes aspirar a estar en el tipo de forma y actitud que, en muchos casos, al menos a algunos les

permitirá ganar o estar entre el 10 por ciento de la clase. En general, demasiados de nosotros se limitan a "poner su tiempo" cada día y apenas viven. Saber que estás atrapado en el modo de supervivencia es un reconocimiento que puede ser el primer paso para aprender a cambiar tu vida y tener éxito en ella por primera vez.

5.   Entrenamiento de disociación: Hay una fina línea entre la fortaleza mental y la locura, pero no hay técnica tonta si te mantiene vivo cuando es una situación de vida o muerte. Esencialmente, puedes jugar con cuánto dolor, incomodidad e incluso miedo... Eso es un elemento inmensamente exitoso. La disociación significa ser capaz de soportar que los profesores te griten, que el agua fría te congele, que la arena te estrangule y que el cansancio te frene y no te deje entrar en el cerebro. En estas habilidades de disociación, hay un poco de "encontrar tu lugar feliz", pero sigues teniendo que centrarte en la misión que tienes entre manos y no ser simplemente un zombi que no puede seguir órdenes atascado en algún estado. Puedes practicar esta habilidad con entrenamientos mundanos, monótonos y largos como las carreras largas, el boxeo, la natación, los ejercicios físicos piramidales de alta repetición que pueden llegar a ser bastante

aburridos si no tienes la capacidad de pensar en nada más aparte de contar las repeticiones, los kilómetros y el tiempo.

6.   Reír: Una de las mejores maneras de superar la rutina diaria es encontrar el humor en lo que te ocurre cada día. Encuentra el humor en los retos a los que te enfrentas. Cuando pasas por un acontecimiento estresante, te sorprendería cómo un comentario o una acción graciosa puede aligerar el ánimo y mantenerte concentrado en la tarea que tienes entre manos. Divertirse y reírse en grupo une al equipo como ningún otro. Tienes que reírte solo, ya que te ayudará a cambiar de actitud, a serenarte y a superar cualquier pensamiento negativo que puedas tener en ese momento.

7.   Conoce tu debilidad: conviértela en una fortaleza: Debes tener cierto grado de conocimiento interno y saber que habrá cosas en las que simplemente no eres bueno. Me parece que tengo que comprobar y utilizar un cierto nivel de dureza mental para seguir adelante mientras me centro en mis debilidades que si trabajo en algo que se me da bien por naturaleza. Sé fiel a ti mismo.

8.   Planifica tu inmersión: a los soldados se les enseña a "bucear" durante el entrenamiento. Se trata de un recorrido claro de una misión en el que se realiza cada proceso de la tarea paso a paso, explicando cómo conseguir el resultado deseado. Discutir y crear planes de contingencia es uno de los resultados que ayudan a ser flexibles inmediatamente en caso de que algo vaya mal. Construye varias rutas para lograr tu objetivo. Puede haber 3-4 formas diferentes de llegar de A a B. Considera cualquier opción y no te desanimes si tu plan original falla. Cambia al plan B o incluso al plan C. Mantente centrado en los objetivos hasta el final.

9.   Grandes objetivos con subobjetivos: paralelamente, esto también se puede conseguir en el mundo de la empresa llevando un control de los objetivos semanales, mensuales, trimestrales, y lo siguiente que sepas de tus proyecciones anuales, incluso si tienes que cambiar de rumbo para llegar a ellas. Pero si no evalúas, no sabrás cómo cambiar de dirección.

10.   Sé positivo: La planificación y el pensamiento positivo son muy útiles. Si no está en la agenda o en la estrategia, no ocurre, así

que asegúrate de que tus planes y acciones sean positivos. De vez en cuando, tendrás pensamientos y preguntas negativas que aparecerán en tu mente. Un truco para evitar ser abrumadoramente negativo se llama "Márcalo y domínalo". La próxima vez que aparezca un pensamiento negativo o una duda en tu mente o que te lo diga otra persona, ponle un nombre estúpido como "basura". Luego dilo en voz alta, para que lo digas y lo oigas: "Ya no puedo pensar en" basura". Esto puede llevar unas cuantas rondas de práctica, pero funciona para ayudarte a ser positivo. Nombrar un pensamiento le quita fuerza y te dice que tus preocupaciones y ansiedades están bajo control. Eso es sólido.

Espero que si eres militar te sirva. Los consejos y cualidades de la fortaleza mental no se limitan en absoluto a esta lista de los diez mejores. Hay un sinfín de formas de desarrollar tu fortaleza y resistencia mentales que te ayudarán a mantenerte capacitado, a pensar de forma positiva y a afrontar el estrés o las dificultades durante el resto de tu vida.

Aguanta... Y nunca te rindas.

Algunos consejos comunes para ser un soldado mentalmente fuerte

• Respira despacio, respira profundamente y aclara tu mente: correr, ir de excursión o escalar es una de las tareas más difíciles de hacer bien en el ejército, y luego intentar disparar un rifle o una pistola con precisión. No es inusual correr 100 metros hasta la línea de tiro durante el entrenamiento, planear el arma y disparar enseguida a un objetivo. Evidentemente, un pecho levantado y unos brazos tambaleantes no hacen un disparo preciso. A los francotiradores se les instruye para que hagan una pausa en su respiración, se tumben de espaldas, respiren profundamente y luego despejen su mente para concentrarse en la única tarea que tienen entre manos: disparar con precisión. En el mundo profesional, esta técnica también fue de gran utilidad.

Antes de hablar por teléfono con un cliente enfadado, de hacer una presentación en una conferencia o de presentar a un nuevo cliente, intenta (1) Haz una pausa, (2) concéntrate y ralentiza tu respiración,

(3) respira profundamente y con lentitud, (4) despeja tu mente y (5) céntrate al 100% en la tarea que tienes entre manos.

Este proceso sólo lleva un par de segundos, pero te da un poder excepcional para abordar una tarea compleja con la mente despejada.

•   Los ensayos mentales lentos, paso a paso, crean maestría: Todos conocemos la importancia de la práctica y los ensayos de los deportes, la danza, la gimnasia, el teatro y la oratoria. Los soldados militares ensayan casi todo: disparar, saltar en paracaídas, hablar lenguas extranjeras, montar radios, etc., porque saben que se encontrarán con situaciones en las que el tiempo, los recursos y la seguridad no permiten realizar ensayos completos y con muchos recursos. Aquí es donde los ensayos mentales pueden ser decisivos, el método en el que visualizas con precisión cómo es el cumplimiento absolutamente perfecto de tu misión. Este grado de imaginería minuciosa, ensayada continuamente en tu mente, es indispensable para dominar las tareas complejas mediante la disciplina mental.

•   Haz lo mejor que puedas durante los próximos cinco minutos: bloquea las horas que tienes por delante, concéntrate en hacerlo lo mejor que puedas durante los próximos cinco minutos. Cuando pasen esos cinco minutos, concéntrate en hacerlo bien en los siguientes cinco minutos, etc. Domina tu fatiga concentrándote sólo en periodos cortos, y termina la escalada. La próxima vez que te enfrentes a una misión aparentemente imposible, intenta concentrarte en hacerlo lo mejor posible durante los siguientes cinco minutos y repite hasta que cruces la línea.

• Mira y parece relajado, aunque no lo sientas: Una de las mejores formas de controlar tu propia tensión es asegurarte de que proyectas una imagen de paz, serenidad y comodidad personales, incluso cuando te encuentras en una situación realmente difícil. El mero hecho de parecer relajado, confiado y en control de la situación, en realidad te ayuda a controlar tu nivel de estrés. Esta aptitud ayuda a parecer seguro de sí mismo.

CAPÍTULO CUATRO. RELACIÓN ENTRE LA FORTALEZA MENTAL Y LA CONCENTRACIÓN

Considero que la fortaleza mental es la capacidad de razonar, de pensar. Es la capacidad de controlar totalmente las situaciones inesperadas. Ser duro mentalmente es bueno, pero creo que debemos reconocer que implica un proceso para obtener el resultado deseado.

La autodisciplina es la acción realizada como resultado de todo lo que has pensado. La autodisciplina es la capacidad de hacer lo que has pensado profundamente y mantenerte constante. Mientras lo haces, puede que no consigas el resultado deseado. ¿Por qué algunos estudiantes van a la escuela y siguen fracasando, a pesar de no haber faltado a ninguna clase en un año natural? La fortaleza mental te ayuda a mentalizarte de que "quiero ir a la escuela". La autodisciplina habla de tu asistencia a la escuela. No puedes ser puntual en la escuela si no eres autodisciplinado. Lo tomes o no lo dejes, no es fácil levantarse muy temprano por la mañana y empezar a prepararse para ir a la escuela. Hay veces que te sentirás muy mal o incluso enfermo, pero aun así te levantarás y te prepararás para ir a la escuela. Eso es autodisciplina. La razón por la que los estudiantes fracasan en la escuela, a pesar de ser mentalmente fuertes y de querer ir a la escuela contra viento y marea, y de desplegar su autodisciplina en ella, es simplemente que no consiguen concentrarse. Si no consigues concentrarte, acabarás perdiéndote, y el propósito dejará de estar ahí. Así pues, este es mi resumen a continuación.

- Dureza mental: decisión de ir a la escuela,

- Autodisciplina: asistencia a la escuela,

- Concentración: atención en la escuela.

244

Si no estás atento en clase, no entenderás lo que te están enseñando.

Si no sabes lo que te están enseñando, entonces el propósito ha desaparecido. Repito, el propósito desaparece.

Ahora vamos a discutir ampliamente sobre el enfoque.

CAPÍTULO CINCO. ¿QUÉ ES EL ENFOQUE?

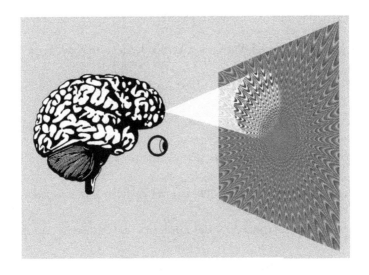

El énfasis es una categoría gramatical, según la Lingüística, que decide qué parte de la frase aporta un contenido nuevo, no derivable o contrastivo. El énfasis está en relación con la estructura del conocimiento.

El foco es, según las Matemáticas, un punto fijo o uno de un par de puntos fijos utilizados para crear una curva como una elipse, una parábola o una hipérbola.

Un foco, también llamado punto de imagen, es el punto en el que convergen los rayos de luz de un punto del objeto, según la Física Óptica. Aunque el foco es conceptualmente un punto, el foco es físicamente espacial, llamado círculo de desenfoque. Este enfoque no ideal puede atribuirse a las aberraciones de la óptica de la cámara. El círculo de desenfoque más pequeño posible en ausencia de aberraciones significativas es el disco de Airy, inducido por la difracción de la apertura del sistema óptico. Las aberraciones siguen empeorando a medida que aumenta el diámetro de la abertura, mientras que para aberturas amplias, el círculo de Airy es el más pequeño.

Cuando la luz de los puntos del objeto converge en la imagen casi al máximo, y se desenfoca cuando la luz no converge bien, una imagen, o un punto o área de la imagen, está enfocada. A veces, el límite entre ellos se establece mediante un criterio de "círculo de confusión".

Para explicarlo, desde mi punto de vista, enfocar significa prestar atención o concentrarse en algo en particular.

Cuando empecé a hacer flexiones, solía parar cuando empezaba a sentir el dolor. Cuando empezaba a sentir dolor, me detenía. No hay nada que pueda decirme. Hasta ese fiel día, en el que mi asesor deportivo me dijo: "Las verdaderas flexiones empiezan cuando empiezas a sentir el dolor. Si no sientes y aguantas el dolor, sólo estás perdiendo el tiempo". Desde ese día, empecé a centrarme en los momentos en que se experimentan los dolores. Tenía esa fortaleza mental para decidir que quería hacer flexiones por la mañana, y tenía la autodisciplina suficiente para hacerlo cada mañana al levantarme. Pero, ¿dónde estaba el enfoque antes de que mi asesor deportivo me hablara? Centrarte en lo que no debes no te dará el resultado deseado. Esta es la razón por la que algunos estudiantes que realmente aman ir a la escuela no obtienen un resultado excelente.

Es importante saber que puedes ser duro en tu cabeza y no manifestarlo físicamente. ¿Cómo se manifiesta y muestra tu aspecto físico? Por eso he dicho que se trata de un proceso en el que el Enfoque es una pieza clave.

CÓMO UTILIZAR LA CONCENTRACIÓN PARA SER MENTALMENTE FUERTE

La fortaleza mental es una forma de pensar que te da la resistencia y la motivación para ser más eficaz, más optimista y menos deprimido que los que no la tienen. Se puede medir y crear modificando tus comportamientos y adoptando un enfoque más disciplinado y menos emocional de tu trabajo y tu vida. Consta de cuatro escalas o características esenciales, respaldadas por un estudio de investigación básico pero científico:

- Control

- Compromiso

- Competencia

- Confianza

Cada una de ellas tiene dos subescalas o características, y cada una tiene un papel esencial que desempeñar dentro del sistema general.

Al observar todas estas características, podemos señalar fácilmente que el Compromiso es la más cercana a la concentración. Profundicemos en esto.

COMPROMISO

Estar siempre centrado en lograr tus objetivos y metas, considero que el Compromiso es la "C de hacer que suceda" porque implica tu compromiso y determinación para establecer tus objetivos y metas, tu concentración en alcanzarlos y la acción necesaria para lograrlos sin interrumpirlos ni sacrificarlos.

Si estás increíblemente comprometido en este grado, frente a plazos exigentes e inflexibles, es más probable que afrontes y consigas tareas y situaciones sin esfuerzo. Con un alto nivel de recursos internos, sueles ser robusto y tenaz y, sin duda, harás lo que sea necesario para conseguir tu objetivo. Esta última cualidad te hace increíblemente digno de confianza porque es crucial para que consigas tus objetivos.

Sin embargo, es necesario encontrar un equilibrio, porque un esfuerzo excesivo y un énfasis absoluto en el resultado significa que puedes herir fácilmente a las personas menos dedicadas en el camino.

En una crisis, esto suele ser aceptable y, de hecho, atractivo, pero lo es mucho menos en el "estilo de siempre", donde te ganarás rápidamente la reputación de ser desafiante y desagradable de tratar.

Si tienes un nivel bajo de Compromiso, es probable que te distraigas o frustres fácilmente en el otro extremo de la escala y que te resulte difícil completar las tareas ante las circunstancias adversas. Probablemente te resulte difícil asumir responsabilidades adicionales porque te cuesta y te rindes demasiado rápido cuando estás bajo presión.

Dentro de la escala de Compromiso hay dos subescalas:

1. ORIENTACIÓN POR OBJETIVOS

Como implica, la orientación a los objetivos pone a prueba el grado de exigencia de las expectativas y los objetivos, y te gusta saber lo que se espera de ti cuando estás en lo alto. Tal vez puedas prever el éxito e imaginar lo que será un resultado exitoso.

Sin embargo, uno de los inconvenientes de estar demasiado centrado es que a menudo puedes perder de vista consideraciones esenciales no centradas en los resultados, como por ejemplo cómo se sienten tus compañeros. Es posible que estés más pendiente del viaje que del destino, lo que te frustrará y sin duda frustrará tu reacción.

Un equilibrio puede ser ideal según el puesto o las circunstancias, pero en un entorno de trabajo moderno, estar poco orientado a los objetivos será casi siempre perjudicial. A menudo te sentirás intimidado por los plazos que podría suponer trabajar por objetivos, y sobre todo por las implicaciones de no cumplirlos.

2.   ORIENTACIÓN AL LOGRO

La orientación al logro es la otra mitad de la ecuación de la dedicación cuando se trata de decidir cómo puedes concentrarte y hacer lo necesario para lograr el objetivo. Si estás alto en este campo, normalmente vas a trabajar duro, no te distraes fácilmente y sientes una gran satisfacción.

A veces, el problema de los que están demasiado altos en Orientación al logro es que están tan centrados en conseguir sus objetivos que pueden ser inflexibles y potencialmente perder los objetivos que cambian.

En el otro extremo del espectro, estar bajo en Orientación al Logro puede ser un reto para las personas que suelen abandonar los proyectos y las actividades más rápidamente que la mayoría, sobre todo cuando hay fracasos diarios o niveles de presión relativamente altos.

Puede resultarles difícil mantener la atención y el control mental durante más de un breve período, lo que es cada vez más frecuente en una época en la que la tecnología distrae la atención con tanta facilidad.

Entonces, ¿cómo se desarrolla el sentido del compromiso?

Es importante tener un sentido de propósito en tu vida y darte cuenta de lo que crees y quieres que sea tu legado. A partir de esto, puedes construir un conjunto de metas que te permitirán cumplir tu objetivo una vez que las alcances. Serán objetivos regulares en su forma más granular, que podrás alcanzar siendo disciplinado y concentrado. Hay técnicas que puedes utilizar para mejorar tu concentración y evitar que tus planes se vean interrumpidos por los desafíos mentales internos y las distracciones externas, como las redes sociales.

IMPORTANCIA DE LA CONCENTRACIÓN EN TU VIDA

Vives en un mundo acelerado en el que cada día puedes distraerte fácilmente con un montón de cosas. Puedes hacer de todo, pero es bastante imposible tener éxito si te falta dirección en tu vida. Permíteme aclarar por qué la concentración es importante en tu vida y ayudarte a saber por qué.

El enfoque puede cambiarlo todo.

Como dicen, el poder fluye allí donde se le presta atención. A medida que te concentras en algo, se hace más grande.

Es esencial entender por qué la concentración es tan importante para que puedas utilizarla en tu beneficio.

Estas son las razones por las que el enfoque es importante en tu vida.

1.   Te ayuda a cambiar tu vida

El enfoque cambiará drásticamente tu forma de vivir. Si te centras en mejorar tu vida, poco a poco empezará a mejorar.

Como dice: "La esencia del cambio es concentrar toda tu atención no en lo viejo, sino en lo nuevo".

Cuando decides cambiarla, la vida cambia, tienes que empezar a trabajar por turnos. Cuanto más te concentres para siempre, mejor será tu vida.

2.   Esto te abre más oportunidades.

El enfoque te ayudará a descubrir la dirección que ni siquiera sabes que existe. Con nuestros problemas en la vida, nos volvemos tan ciegos que no reflexionamos sobre las posibilidades.

Como se dice, SI TE ENFOCAS EN LOS PROBLEMAS, TENDRÁS MÁS PROBLEMAS. SI TE CENTRAS EN LAS POSIBILIDADES, TENDRÁS MÁS OPORTUNIDADES.

Así que, en tu vida, tienes que empezar a buscar posibilidades y abrir nuevas puertas a nuevas oportunidades.

No escuches a los demás. Solo ten en cuenta que en tu vida, la concentración es importante para aceptar el potencial que hay a tu alrededor.

3.   La concentración amplía tus conocimientos.

La concentración te ayudará a ampliar tus conocimientos y tu inteligencia. Cuando empiezas a centrarte en el aprendizaje, la conciencia crece gradualmente.

Concéntrate en aprender cosas nuevas cada día y haz del aprendizaje permanente una prioridad. Sin embargo, habrá algunas distracciones a tu alrededor, pero debes concentrarte de todos modos.

Centrarte en aumentar tu conciencia amplía inmediatamente tu vida.

4.   Te ayuda a ser productivo en el trabajo.

La distracción siempre está arañando tu ventana. Cómo elegir entre atención y distracción, es tu decisión. La atención te ayudará a tener más éxito en tu trabajo. Te ayudará a centrar tu atención en una tarea específica como objetivo principal. Todo lo demás es secundario.

Reflexiona sobre ser productivo, pero la mayoría de la gente nunca se concentra en tener éxito. Entonces se concentran en estar ocupados.

La concentración es importante en tu vida para que puedas ser altamente productivo en el trabajo y realizarlo con eficacia.

5.   Te ayuda a hacer realidad tus objetivos.

Tu énfasis determinará el nivel de logros que alcances en la vida. Alcanzarás tus objetivos cuando pongas tu atención en lograr algo en la vida. De lo contrario, acabarás desperdiciando tu energía y tu tiempo en cosas inútiles.

La vida es como una cámara fotográfica; enfoca y capta lo que es necesario. Si quieres alcanzar tus objetivos, pon tu atención en ellos y sigue trabajando hasta conseguirlos.

6.   La concentración te permite alcanzar más rápidamente el éxito.

Nadie puede disuadirte cuando estás enfocado en alcanzar el éxito. Las personas con éxito se centran en la misión. Cada día trabajan por sus objetivos. Eso hace que consigan el éxito más rápido que nadie.

Sin embargo, algunas personas intentan algo, pero nunca son constantes. Esto se convierte en una barrera para sus carreteras.

El enfoque es necesaria para alcanzar el éxito en tu vida.

Las personas con éxito nunca permiten que los obstáculos se interpongan en su camino.

En conclusión, el enfoque no recibe el respeto que merece en el mundo, pero si se utiliza correctamente, puede cambiar tu vida. Las personas con éxito conocen la importancia de la concentración durante toda la vida. Tu concentración decidirá lo bueno que eres. Esto producirá grandes resultados cuando tu atención se corresponda con tus actos.

Aquí hay cosas que debes recordar:

- Cambiar tu vida ayuda.

- Esto te proporciona más oportunidades.

- El enfoque amplía la conciencia que tienes.

- Esto te ayuda a trabajar de forma más eficiente.

- Esto te permite hacer realidad tus objetivos.

La concentración te permite ser más rápido y eficaz. Por eso el enfoque en tu vida es vital para conseguir lo que quieres en la vida.

CAPÍTULO SEIS. EL ENFOQUE EN LOS NEGOCIOS

Como propietarios de pequeñas empresas, puede ser increíblemente fácil padecer casos de trastorno por déficit de atención, en los que la siguiente idea de negocio aparentemente buena llama nuestra atención, y saltamos hacia ella como un insecto que vuela hacia una bombilla. El viejo dicho que parece acertado cuando intentas hacer demasiadas cosas a la vez, acaba haciendo un montón de cosas mal.

Las grandes empresas son creadas, fundadas y desarrolladas por empresarios que centran sus esfuerzos diarios en ese sector. No es casualidad que las personas que viven literalmente dentro de ellas construyan buenas empresas, al menos antes de que se expandan hasta el punto de viabilidad y prosperidad en el que puedan permitirse incorporar más personal y liderazgo. El éxito empresarial implica centrarse en la definición más amplia de la palabra.

Steve Jobs, el fundador de Apple, era conocido por su intensa concentración. Describía lo que consideraba obstáculos para su misión y tareas principales, y filtraba todo lo demás. Si lo que alguien le pedía no era una prioridad para ese día, simplemente no contestaba al correo electrónico o incluso a las preguntas directas y se dedicaba a los negocios. Su implacable entusiasmo, su determinación y su deseo de crear algo más, hizo que mucha gente se equivocara, creando enemigos para Jobs y la empresa, pero su intensidad nunca disminuyó, y su sueño de lo que era Apple nunca fracasó.

Cuando Jobs volvió a su empresa en 1997, uno de sus primeros objetivos fue centrar una línea de productos cada vez más compleja y diversa en uno que pudiera generarse de forma fiable y rentable. Redujo la amplia gama de productos de Apple a cuatro paquetes para dos grupos de clientes diferentes: empresas y consumidores, lo que supuso una importante salvación para la empresa. El enfoque empresarial también tiene que ver con lo que representa tu empresa y lo que ofreces a los clientes. Enfocarse significa desarrollar una marca que represente algo y diga que estás especializado en un área de trabajo o bienes concretos. Los consumidores quieren una empresa centrada en algo, ya sea una reparación de frenos móvil, un litigio de reparación de accidentes de coche personales o un especialista en impuestos inmobiliarios, los consumidores quieren a alguien que conozca su nicho.

Cuando vendes demasiados servicios o productos, y tu discurso de ascensor es una clara expresión... Y hacemos esto... Y esto... Y dar eso; puede que te cueste centrarte. Hoy en día, el mercado es competitivo para casi cualquier sector, y más aún para el interés de un cliente al vender el negocio. Si te especializas en algo y lo haces bien, maximizas tu tiempo de emisión sin tanto esfuerzo y creas popularidad. Céntrate en tus habilidades principales y en los productos o servicios más rentables: normalmente te resultará más fácil conseguir clientes y la empresa será más competitiva.

Sin embargo, centrarse no significa que tengas que hacerlo todo en la empresa tú mismo. Cuando estás preparado para expandirte, contratar empleados, asignar tareas y formar un equipo, el énfasis es igualmente importante para el propietario de una empresa y esencial para él. El énfasis se desplaza ahora a cómo manejar y animar la escala. Se necesita un enfoque intenso para reclutar, formar y poner a las personas en posiciones de poder dentro de la empresa.

Los empresarios que he visto que no reflexionan sobre esto y se limitan a lanzar tareas innecesarias a sus empleados suelen tener problemas rápidamente. Nadie ha dicho que sea fácil crear una empresa. Si tomas el camino de la iniciativa empresarial, céntrate en la persona que más tiene que ganar o perder en el negocio. Dedica el tiempo y los recursos necesarios para dar a la empresa la atención que necesita para convertirse en una organización autosuficiente; entonces, podrás disfrutar de los beneficios de un empresario de éxito.

IMPORTANCIA DEL ENFOQUE EN LOS NEGOCIOS

A muchos directivos y propietarios les gusta creer que están centrados en un nivel de negocio decente. Sin embargo, es fácil sentirse abrumado por los numerosos problemas y cambios a los que se enfrenta la empresa a diario.

Sin embargo, merece la pena mantener el rumbo, ya que hay una serie de beneficios realmente poderosos en un fuerte énfasis empresarial. Estos son algunos:

• Mejor comercialización

El beneficio de la concentración, en primer lugar, es que conduce a una mejor comercialización. ¿Cómo? Porque puedes entender tu valor mejor que nunca.

En el mundo tecnológico actual, en el que todo está disponible con un clic, las empresas se enfrentan a una gran presión, y puede resultar difícil mantener el ritmo. Sin embargo, el único secreto real del éxito es conocer la propuesta de valor única.

Puedes elaborar un producto o servicio superior concentrándote en lo que puedes vender que la competencia no puede. Y, en consecuencia, estos cambios pueden incorporarse al marketing "nuevo y mejorado".

- Planificación a largo plazo superior

¿Qué es lo contrario de un buen enfoque empresarial? En pocas palabras, es el pensamiento reactivo. Existe un peligro importante cuando nos dejamos distraer por los diferentes cambios y desafíos. De hecho, gastarás demasiado tiempo y dinero simplemente respondiendo en lugar de hacer algo nuevo e innovador.

Crearás mejor una visión de éxito a largo plazo para tu empresa si tienes un fuerte énfasis empresarial. Esto te permite crear una mejor estrategia para la ejecución a largo plazo, lo que te ayuda a diferenciarte de la competencia.

- Buen servicio al cliente

Los clientes son una parte fundamental de cualquier empresa. Sin embargo, este simple hecho es muy fácil de olvidar para las empresas.

¿Por qué? ¿Por qué? La mayoría de las empresas acaban perdiendo en la maleza de hacer demasiadas cosas mejor y hacerlas demasiado pronto. Principios sencillos como el servicio al cliente pueden quedar atrás por concentrarse en demasiados asuntos a la vez.

Sin embargo, centrarte en tu mercado significa no perder nunca de vista a tus clientes. Y podrás desarrollar ideas de mercado centradas en el cliente, por encima de todo.

- Pensando en el futuro

Ya hemos hablado de cómo una perspectiva sólida del negocio ayudaría a la planificación a largo plazo. Además de desarrollar planes de crecimiento potencial, este énfasis ayuda al negocio a construir el próximo gran avance.

Lo más probable es que todo el mundo en tu nicho de mercado esté tratando de encontrar el próximo gran avance. Y "buscar" es la palabra clave, porque la mayoría de las empresas no quieren invertir tiempo y trabajo para innovar. No tienes que limitarte a esperar con un fuerte énfasis empresarial que "encuentres" algo innovador; tú y tu equipo vais a seguir adelante y a construir algo.

El resultado final: Ahora ya conoces el enfoque del negocio y lo que puede hacer. ¿Puedes ayudarte a ponerlo en marcha hoy mismo?

ENFOQUE EN EL DEPORTE

El enfoque es una parte importante del éxito deportivo. La concentración ayuda a los ejecutantes a escuchar las señales que tienen entre manos y a centrarse en las tareas para tener éxito. La capacidad de concentración es crucial porque ofrece a los ejecutantes la oportunidad de alcanzar sus objetivos.

El enfoque es uno de los instrumentos más importantes de la psicología del deporte. Sea cual sea el deporte que practiques, la capacidad de concentración es crucial para el éxito. ¿Alguna vez tu mente divaga cuando estás en medio de un ensayo o una competición? Si es así, la eficacia está sufriendo un golpe, porque la misión que tienes entre manos no está totalmente centrada en ti.

- Saber en qué tienes que concentrarte: cuanto más claro tengas lo que quieres enfocar, más probable será que te mantengas centrado en los factores que contribuyen a tu éxito.

- Céntrate en lo que puedes controlar: tienes control sobre tus propias acciones y actitudes, nada más. Mantén el enfoque aquí. Si te centras en los resultados (cosas sobre las que no tienes control), creas una ansiedad innecesaria. Reflexiona sobre el método, y aumentarás la probabilidad de que haya resultados positivos.

- Mantente relajado bajo presión: La concentración disminuye cuando estás nervioso y ansioso. Encuentra formas de mantener la calma en momentos de gran presión, como respirar profundamente, estirar los músculos para relajarlos, realizar ejercicios productivos para mantener tu atención donde debe estar, o escuchar música que te mantenga concentrado.

- Palabras clave: Las palabras clave son palabras y frases sencillas que te recuerdan tus puntos de atención. La repetición de palabras y frases como calmarse, jugar duro o ir rápido con los pies puede recordarte que debes centrarte en lo que tienes que hacer. Si tu mente se concentra en las palabras de tu clave, entonces tu cuerpo obedecerá.

• Desarrolla rutinas eficaces: una rutina tipo embudo canaliza tu concentración y te prepara para competir. Los rituales te ayudan a mantenerte concentrado en las cosas correctas y a evitar la entrada en tu mente de muchas distracciones posibles. Por ejemplo, escucha tres o cuatro canciones en tu dispositivo móvil o en tu ordenador portátil antes de los partidos para prepararte, o toma una comida concreta, llega al campo de juego con tiempo suficiente para prepararte, o realiza un tipo de calentamiento específico.

• Utilizando imágenes visuales: practica observarte a ti mismo haciendo exactamente lo que deseas, concentrándote precisamente como quieres concentrarte. Cuanto más se entrene tu mente en concentrarse en las cosas correctas, más responderá. La visualización mental consiste en verte a ti mismo actuando como deseas mucho antes de entrar en el campo de juego. La visualización te enseña a ver cómo vas a actuar, te anima a pensar en lo que es más importante en una actuación excelente, y te ayuda a relajarte concentrándote en las cosas que están bajo tu control y en una actuación sobresaliente que importa.

• Valora tu concentración a diario: Lleva un diario en el que califiques tu nivel de concentración antes y después de cada entrenamiento o competición. Las evaluaciones claras y regulares son cruciales para tu éxito. Al ser constantemente consciente de mejorar y evaluar tu concentración, lo harás automáticamente. Este tipo de trabajo diario del "músculo interno" en los entrenamientos y partidos mejorará gradualmente tu concentración.

Pero, ¿en qué deben centrarse los deportistas?

Esto puede responderse describiendo varios elementos focales que nos llevan a los tipos de enfoque en el deporte.

TIPOS DE ENFOQUE EN EL DEPORTE

El enfoque puede variar de estrecho a amplio.

- El enfoque amplio es el que capta mucha información. Piensa en ello como en las farolas o en las luces de un campo o estadio: esta luz brilla en un área amplia y te ayuda a ver mucho.

- Un enfoque estrecho es tomar poca información. Piensa en esto como en un puntero láser: es algo muy pequeño y tienes que centrarte en algo muy importante, por lo que no puedes ver muchas cosas.

Además, el enfoque puede variar de ser externo a ser interno.

- Mirar fuera de uno mismo es un enfoque externo.

- El enfoque interior o interno busca dentro de ti.

Estas cuatro áreas se combinan para crear cuatro formas de enfoque diferentes.

Un enfoque amplio-externo es la evaluación de la situación.

- Al intentar realizar un pase largo, un jugador de fútbol puede escudriñar el campo, observando los movimientos de sus compañeros y del poseedor al pasar el balón, así como de los adversarios.

• Un tenista determinará la posición de su oponente a la derecha sin mirarlo y luego jugará a la izquierda.

• Un saltador de pértiga puede comprobar el campo de competición y detectar las condiciones meteorológicas.

Un enfoque estrecho-externo es centrarse en 1 o 2 señales específicas.

• Un jugador de fútbol como Lionel Messi puede fijarse en la posición de los pies de su adversario mientras intenta regatearle. Así lo hace cuando intenta regatear a jugadores como Sergio Ramos, Marcelo, James Milner, etc.

• Mirar fijamente un balón de fútbol mientras bota para controlar perfectamente un determinado pase largo.

• Una saltadora de pértiga puede optar por concentrarse en la rotación de su cadera.

Un enfoque amplio y externo se utiliza para la investigación y la preparación, incluyendo el diseño de un plan de juego o estrategia.

- Un jugador de lacrosse puede formular un plan basado en lo que ve y cree que puede ocurrir en el contexto externo amplio o estrecho.

- Una jugadora de sóftbol decidirá dónde quiere golpear la bola en base a lo que ve en el objetivo del exterior. Además, puede pensar en los lanzamientos que ha hecho el lanzador y hacer una conjetura sobre qué lanzamiento esperar a continuación y cómo cambiar su técnica cuando esté en la caja de bateo.

- Un saltador de pértiga puede evaluar si necesita hacer algún ajuste en la fuerza y dirección del viento de su salto.

Se emplea un enfoque interno estrecho para adquirir entrenamiento mental o controlar un estado emocional.

- Un jugador de fútbol puede aumentar su confianza recordando que tuvo éxito en su último partido. Uno, en concreto, es Gabriel Jesús, delantero del Manchester City, contra el Everton. Si hay un momento en el que quieres ayudar a este jugador a aumentar su confianza, es sin duda contra el Everton. Imagina que es el delantero.

• Un jugador de fútbol puede respirar profundamente para controlar su ansiedad antes de lanzar un penalti. Uno de ellos, en particular, es Cristiano Ronaldo, que apenas falla un penalti. Es una máquina de hacer goles.

• Una bailarina de teatro puede ensayar mentalmente sus movimientos de baile antes de salir al escenario. Lo había hecho muchas veces, pero no para bailar. Lo había hecho muchas veces, pero no para bailar.

Los atletas exitosos saben:

1. En QUÉ centrarse y

2. CUÁNDO hacerlo.

ENFOQUE EN LO ACADÉMICO

El enfoque puede ser la diferencia entre el logro y el fracaso. Sin esa habilidad, es más fácil que surjan problemas y se saboteen los objetivos más importantes de la vida.

Las personas con verdadero éxito consiguen un equilibrio entre su carrera y su vida personal.

Dispersar tu energía y atención entre demasiadas tareas hará que pierdas de vista los objetivos originales. Te cuesta saber cómo puedes planificar para alcanzarlos porque no estás seguro de cuáles son. Eso es un factor importante que contribuye al fracaso.

La mayoría de las personas con éxito entienden que hay que centrarse en la importancia. No necesitas ser superinteligente o un genio para superar a tus competidores en la escuela, la empresa o el negocio, para tener más éxito a cualquier precio. Todo lo que necesitas es una gestión del tiempo mejor y más eficiente, reduciendo las prácticas que te hacen perder tiempo.

Utilizar eficazmente el tiempo porque no puedes crearlo. Como gran líder, magnate de los negocios o científico, todo el mundo tiene las mismas 24 horas. Lo que uno hace en el mismo ciclo de 24 horas diferencia a un hombre de éxito de uno fracasado.

Céntrate en las cosas que te ayudarán a avanzar en la dirección correcta.

La gente da por sentado que la concentración es algo normal y paga el precio de no tenerla en cuenta.

Piensa en cualquier cosa que hagas sin centrarte constantemente. Puede que tengas éxito en el proceso, mientras que es probable que fracases en el progreso, porque no podrás entender ni explicar por qué una cosa lleva a otra sin un enfoque.

En consecuencia, el enfoque es una cualidad esencial para encontrar, reunir y analizar la información necesaria y central para lo que hacemos.

Todo lo que interviene en nuestra vida personal y profesional nos distrae de un modo u otro.

1.   Descubre las distracciones, y luego elimínalas.

A continuación, considera qué es lo que te distrae de la atención, y luego intenta popularizar el distractor. Es fundamental que te organices y te entrenes adecuadamente antes de emprender nuevas tareas.

Ahora que has identificado tus distracciones creando comportamientos y estilos de vida que mantienen alejados a esos distractores, tienes que eliminarlos gradualmente.

2.   Mantener los límites es necesario.

Es imprescindible estar entre la gente e interactuar con ella. Sin embargo, es importante establecer límites entre tú y los demás si necesitas algo de tiempo para completar tus tareas por ti mismo.

Tienes que estar en condiciones de establecer limitaciones para ti mismo en esas tareas. Al fin y al cabo, se trata de disciplina. La disciplina no hace que la vida sea monótona y aburrida, a pesar de la creencia común, sino que aporta el equilibrio adecuado a tu vida.

No sólo aislarte de los demás y deshacerte de las cosas que te molestan, sino también tener confianza mientras haces algo importante.

3.   Perder la concentración puede significar irritarse e impacientarse.

La ansiedad empieza a crecer cuando el siguiente paso hacia el progreso en la escalera puede parecer una tarea desalentadora. ¿Y cómo se puede alterar eso?

La falta de concentración afecta a todos los aspectos de tu vida. Como resultado, todas tus relaciones empezarán a fracasar cuando estés más irritable y ansioso. Para que alcances todo tu potencial, hay que romper este círculo vicioso.

Centrarse significa prestar atención a lo que es importante en tu vida. Este enfoque te ayudará a hacer un mejor trabajo simplemente porque le prestamos toda nuestra atención.

Cómo mantenerse centrado en lo académico

Hay muchas cosas que distraen al estudiante de lo académico, como los teléfonos inteligentes, las redes sociales, la televisión, el agotamiento, la presión social. El flujo persistente y continuo de posibles obstáculos a los que se enfrentan los estudiantes hoy en día es mayor que en el pasado en cualquier momento. Eso no significa que no puedas hacer nada al respecto.

Voy a mostrarte los métodos que a mí me funcionan. Sigo considerándome un estudiante porque el aprendizaje nunca se detiene mientras vivamos.

1.   CORTA EL CABLE. Conduce fuera de la red.

No tengo que convencerte de que la tecnología supone un posible reto para los estudiantes de secundaria de hoy en día. Cualquier padre que lea este artículo sabe sin duda lo difícil que es conseguir que un estudiante se concentre en hacer algo constructivo con los teléfonos inteligentes, las redes sociales, la televisión, la música y los videojuegos a nuestro alrededor.

De hecho, incluso hoy en día, la mayoría de las investigaciones académicas requieren un tipo de tecnología particular.

Por suerte, hay muchas cosas que podemos hacer al respecto. Cualquiera de las siguientes medidas te ayudará a proteger a tus alumnos de los efectos abrumadores de la tecnología moderna, quizá mientras puedan estudiar un poco.

• Dale la vuelta al teléfono: ¿Has tenido alguna vez tu Smartphone inmovilizado quizás durante una semana o un mes? Experimentarás una gran cantidad de tiempo libre que puedes utilizar para estudiar. Una vez tuve un amigo al que le embargaron el teléfono durante unas tres semanas. La forma de responder a las preguntas en clase cambió sorprendentemente, aumentó y dio otra definición de sí mismo. Si investigas y estudias más a fondo sobre esto, descubrirás que probablemente también mejorará la salud y el bienestar del estudiante.

• Apaga la conexión de datos: incluso los mejores estudiantes suelen empezar a trabajar o investigar en un dispositivo y, en su lugar, se encuentran inexplicablemente navegando por las redes sociales o por Internet. La vuelta a la distracción sin sentido es poco probable con la conexión de datos de tu ordenador apagada.

• Aléjate de casa: Todos sabemos que la mayoría de nuestros dispositivos viven en nuestras casas. Nos rodean cuando intentamos trabajar e investigar en casa y nos llaman la atención. Si, en cambio, trabajamos y estudiamos en otro lugar, podemos disminuir naturalmente el número de distracciones técnicas que tenemos a nuestra disposición. Puedes ir a la biblioteca; puedes salir a hacer un picnic, pero tendrás libros sobre esto y lo otro en lugar de comida.

2. DORMIR, DORMIR, DORMIR. Vive más tiempo, sé más feliz, ten más conocimientos.

Muchos estudios demuestran que dormir lo suficiente nos hace más felices, más inteligentes y nos permite vivir más tiempo. Además, el estudiante medio de secundaria necesita algo más de nueve horas de sueño cada noche, y yo sugiero que al menos seis horas para los estudiantes más mayores.

Seguro que has sido testigo de esto en tu propia vida; sé que yo lo he hecho. Tengo menos éxito, menos satisfacción y estoy menos alerta cuando no duermo lo suficiente. En comparación, mi estado de ánimo aumenta cuando estoy atento a mantener el tiempo que duermo, me siento más feliz y mi éxito en el trabajo o en el aprendizaje es cuantitativamente mejor. Ayuda, pues, a tu alumno a dormir más. Si en el pasado has tenido otras ideas sobre la cantidad de sueño que debe tener tu alumno, o sobre lo necesario que es, déjalas a un lado sin culpas ni humillaciones, y comprométete a asegurar el sueño futuro de tu alumno sin vacilaciones ni compromisos.

3. INCOMODIDAD. Y no vuelvas a relajarte hasta que hayas terminado.

Mi madre solía decirme: "Los días en que te encuentras infeliz son los días en que te conoces más y mejor".

Este enfoque para aumentar la concentración de los estudiantes durante la investigación es muy acertado y se subestima. Los estudiantes pueden mejorar mucho su éxito si seleccionan cuidadosamente su entorno de estudio y se comprometen a permanecer en esa zona hasta que la investigación esté completa.

Por ejemplo, siempre sugiero a mis alumnos que vayan a la biblioteca (dejando el teléfono en otro lugar y apagando la conexión de datos) y se comprometan a permanecer en la biblioteca hasta que hayan terminado todo lo que han estudiado ese día.

Creo que el aburrimiento comparativo de estar sentados en una biblioteca oscura y aburrida, sin tecnología que les anime, también estimula a los estudiantes a tener mucho éxito, sólo para poder terminar y volver a hacer las cosas que les gustan. Este es el enfoque que me funciona a la perfección. No puedo investigar en un lugar que tenga algún factor de distracción, ruido. Me encanta investigar en un entorno completamente silencioso. Cuando estaba en el instituto, mis padres se aseguraron de que nadie hiciera ruido y me distrajera mientras quería estudiar. Me respetaron mucho por llevar algunos premios académicos a mi casa.

Si crees que esta técnica no te funciona o no es realmente necesaria, prueba un experimento. Dedica dos horas a estudiar en casa, y luego dedica dos horas a investigar con todos los ordenadores apagados en una biblioteca. Presta atención al éxito que obtienes, y planifica para sorprenderte en cada escenario.

4.   VER EL OBJETIVO. Establece objetivos sencillos por escrito y comprueba el progreso.

En concreto, el acto de compartir los objetivos con un amigo, como dejar que tu alumno comparta sus objetivos contigo, y luego las revisiones diarias del progreso con ese amigo, se estableció como un factor distintivo entre los niveles de éxito más altos y más bajos.

En un sentido más sencillo: haz que tus alumnos escriban y compartan contigo sus objetivos académicos. Ayuda a tu alumno a rendir cuentas revisando su progreso hacia esos objetivos con regularidad (por ejemplo, semanal o mensualmente). Esta técnica aumentará en gran medida las probabilidades de que el alumno los alcance.

Ayuda a tu alumno a tener una perspectiva clara de sus objetivos académicos. Ayúdale a tomarse el tiempo necesario para pensar en ello y considerar su importancia. Y cuando tu alumno los complete, ayúdale a tomarse tiempo para saborear el logro, y a volver a grabarlo.

Puedo recordar a mi profesor de química cuando estaba en el instituto. Me preguntaba qué estaba haciendo cada trimestre. Me aconsejaba sobre cómo alcanzar el objetivo que me había fijado para el trimestre y vigilaba mi rendimiento porque tenía un gran rival en mi clase. Era realmente divertido en aquellos días, como si dos partidos políticos aspiraran a la misma presidencia, y cada uno tuviera sus partidarios.

Recuerda siempre este resumen;

- Dureza mental: decisión para ir a la escuela,

- Autodisciplina: asistencia a la escuela,

- Enfoque: atención en la escuela. Sólo cuando estás atento en clase puedes entender y adquirir la información o los conocimientos que se te transmiten.

Tu capacidad para concentrarte hasta obtener el resultado deseado justifica tu fortaleza mental.

CAPÍTULO SIETE. DUREZA MENTAL Y LAS EMOCIONES

En el campo de la inteligencia emocional rara vez se tiene en cuenta la dureza mental, o la capacidad de ser resistente y sensible en circunstancias difíciles.

Sin embargo, los buenos líderes reconocen que ser duro mentalmente depende mucho de la inteligencia emocional: no se puede ser duro mentalmente y tener poca inteligencia emocional.

En realidad, los mejores líderes no sólo comprenden la importancia de la inteligencia emocional para la fortaleza mental, sino que la desarrollan y optimizan. La empatía es primordial. Debido a su gran capacidad de liderazgo, muchos líderes incorporados acaban quemando y cansando a los trabajadores cada día cuando son duros con sus empleados. Parece, y de hecho puede ser, acoso. No todo el mundo responde a un dictador fuerte, sin sentido y sin empatía.

Las emociones no indican que seas débil. En algunos casos, el liderazgo de estilo alfa tiene éxito, es decir, las aplicaciones militares.

Sin embargo, este tipo de liderazgo no se traduce bien en el mundo civil, donde los líderes deben comprender la complejidad de sus trabajadores en algún momento. Sólo se les pide que hagan su trabajo y eso sin tener en cuenta los diversos problemas emocionales, mentales, físicos y de otro tipo que pueden tener los trabajadores. Eso no requiere que el líder tenga sentimientos, por no mencionar. Suena a acoso, y podría serlo, de hecho. No todo el mundo responde a un dictador dominante, sin sentido y sin empatía.

Las emociones no significan que seas débil. El liderazgo de estilo alfa es eficaz en algunas situaciones, es decir, en aplicaciones militares.

Sin embargo, este tipo de liderazgo no se traslada bien al mundo civil, donde en algún momento los líderes deben tener en cuenta las complejidades de sus empleados. Sólo esperan que hagan su trabajo y eso no tiene en cuenta los diferentes problemas sociales, de comportamiento, físicos y de otro tipo que pueden tener los empleados. Eso no incluye los sentimientos hacia el jefe, por no mencionar.

Podemos ver claramente cómo la inteligencia emocional puede ayudar a las personas que ocupan puestos de liderazgo a desempeñar un papel de apoyo, a las personas que tienen amigos o familiares que están pasando por un momento difícil, o simplemente a cualquier persona para la que el estilo más competitivo y alfa es el que le relaja.

Relación entre la fortaleza mental y la inteligencia emocional

Una pregunta frecuente es la relación entre la fortaleza mental y la inteligencia emocional. Es una buena pregunta y tiene una respuesta potencialmente compleja, como todas las mejores preguntas.

En su forma más sencilla, la inteligencia emocional define el grado en que eres sensible a las emociones y sentimientos individuales de los demás cuando dices o haces algo que de algún modo les afecta. También explica hasta qué punto eres emocionalmente sensible a las acciones, palabras y actos de otras personas.

Se trata de la respuesta emocional al mundo que te rodea, básicamente. Como resultado de esa sensibilidad, no indica necesariamente cómo vas a reaccionar.

La dureza mental es una definición de algo similar pero significativamente diferente. Es un rasgo de la personalidad que evalúa la actitud ante estímulos como el estrés, la presión y la dificultad (cómo pensamos y sentimos). Estos factores pueden incluir una respuesta emocional. La dureza mental tiene que ver con tu capacidad de respuesta a esos estímulos y con cómo es probable que respondas en virtud de los 4 componentes de la dureza mental (las cuatro C).

Sin embargo, es difícil resumir la posible diferencia y relación entre la Inteligencia Emocional y la Dureza Mental.

Así, alguien con alta Inteligencia Emocional y alta Tensión Mental puede ser sensible a las emociones y sentimientos de otras personas y tendrá éxito en el control de su respuesta. La investigación muestra que alguien con baja inteligencia emocional y alta dureza mental puede ser insensible a otras emociones y sentimientos, y en este caso, su alta dureza mental puede manifestarse en una aparente "piel gruesa". Y así sucesivamente. Sin embargo, el mismo estudio también reveló que quienes son más duros emocionalmente a menudo parecen estar "más cómodos en su propia piel", lo que a menudo puede sugerir que están más abiertos a la comunicación con los demás y a sus emociones y sentimientos. La idea es que la Inteligencia Emocional podría ser incluso un tipo de dureza mental.

Se puede observar un vínculo con las características de estas tres Inteligencias Emocionales: Gestión del estado de ánimo, Automotivación y Gestión de las relaciones.

El nuevo pensamiento en torno a las Emociones Inteligentes es quizá más interesante. Resuena mucho con la escala de Regulación Emocional de la Dureza Mental e indica que los individuos con este tipo de Inteligencia son capaces de influir en el estado de ánimo de los demás a su alrededor mediante muestras (auténticas) de emociones y sentimientos. Esto, a su vez, dará a la persona una respuesta positiva y le ayudará a controlar el estado de ánimo y las emociones.

La percepción es que las Emociones Inteligentes son mejores que la Inteligencia Emocional.

Diferencia entre fuerza mental e inteligencia emocional

El secreto de tu éxito personal y profesional podría ser cultivar ambos.

Es una gran pregunta porque hay muchas suposiciones sobre lo que significa ser fuerte mentalmente y teorías sobre cómo se puede crear la inteligencia emocional.

Definición de inteligencia emocional

A lo largo de los años, la definición de inteligencia emocional ha cambiado. Es la capacidad de comprender cómo se sienten y reaccionan las personas, y utiliza esta capacidad para tomar buenas decisiones y prevenir o resolver problemas.

La inteligencia emocional en determinadas situaciones puede dar a las personas una ventaja competitiva. Un cociente emocional alto no conducirá automáticamente a un mayor rendimiento académico: estos factores dependen más del Cociente Inteligente.

Coeficiente emocional (CE): o cociente emocional se caracteriza por ser la capacidad de los individuos para reconocer, evaluar, regular y expresar las emociones.

Coeficiente intelectual (CI): es uno de los diversos tests estandarizados diseñados para medir la inteligencia de una persona.

Componentes de la inteligencia emocional

Los cinco factores que se enumeran para la Inteligencia Emocional son:

1.   Conciencia de sí mismo: La conciencia de sí mismo es la capacidad de reconocer y apreciar tus sentimientos e impulsos y su efecto en los demás.

2.   Motivación interna: Un amor por el trabajo que va más allá del dinero y el estatus, como el sueño interior de lo que es importante en la vida o el placer de hacer algo.

3.   Autorregulación: La autorregulación consiste en redirigir los impulsos y estados de ánimo destructivos, así como en ser capaz de pensar antes de actuar.

4.   Empatía: La empatía es la capacidad de captar la naturaleza emocional de otras personas y la voluntad de manejarlas según sus reacciones emocionales.

5.   Habilidades sociales: Las habilidades sociales incluyen la capacidad de gestionar las relaciones y de establecer relaciones con los demás mediante la búsqueda de puntos en común.

¿Qué es la fuerza mental?

La fuerza mental y la fortaleza mental se utilizan a menudo indistintamente. Pero es muy probable que no sean lo mismo, dependiendo de cómo se defina la fortaleza mental.

La dureza mental se utiliza a menudo cuando la gente se refiere a los atletas de élite o a los Navy Seals, y muchos miden sus cuerpos hasta el extremo viendo cuánto dolor pueden soportar.

Pero, por suerte, la mayoría de nosotros no tenemos que correr con un tobillo roto ni amenazar físicamente a nuestros rivales. Así que ese tipo de resistencia no es una capacidad que la mayoría de nosotros necesite en la vida diaria.

Ser fuerte mentalmente no significa actuar con dureza. Se trata de ser consciente de tus sentimientos, aprender de las experiencias dolorosas y vivir según tus creencias.

Hay tres componentes principales de la fuerza mental:

1. Regular los pensamientos: Regular tus pensamientos implica aprender a entrenar útilmente tu cerebro para pensar. Eso puede significar ignorar las dudas sobre uno mismo o sustituir la autocrítica por la preocupación por uno mismo.

2. Gestionar las emociones: Ser consciente de tus emociones te ayuda a considerar cómo tus pensamientos y acciones afectan a ciertos sentimientos. Puede incluir la aceptación de las emociones, incluso cuando son incómodas, o puede significar comportarse en contra de tus emociones cuando esos sentimientos no te hacen bien.

3. Acciones positivas: Decidir emprender acciones que mejoren tu vida, incluso si tienes problemas de motivación o de retraso en la gratificación, es crucial para ser mentalmente fuerte.

CAPÍTULO OCHO. LA PRINCIPAL DIFERENCIA

La inteligencia emocional es una parte de la fuerza del pensamiento. Sin embargo, la fuerza mental va más allá de los sentimientos y aborda los pensamientos y comportamientos que influyen en la calidad general de tu vida.

La fuerza mental implica la creación de hábitos cotidianos que crean músculo mental. También implica abandonar los malos hábitos que te frenan.

La buena noticia es que cualquiera puede aumentar su inteligencia emocional y desarrollar la fuerza mental. Y esas habilidades te servirán tanto personal como profesionalmente.

¿Las emociones y cómo se relacionan con la fortaleza mental?

En el sentido de la Dureza Mental, la importancia de este concepto es que resuena bien con las subescalas de Regulación Emocional del modelo de las 4 Cs.

Una forma sencilla de explicarlo es la siguiente: Imagina que vas al teatro a ver un personaje conocido interpretado por un gran actor. El teatro está lleno con 500 personas.

Los actores están entrenados no sólo para decir las palabras, sino también para utilizar el lenguaje corporal, las expresiones, etc., para expresar todo el significado de su actuación. Esto significa que el público no sólo entiende lo que dice el personaje, sino también por qué lo dice. Eso incluye los sentimientos y las emociones que hay detrás de las palabras. De este modo, un buen actor llega a la mayoría, si no a todo el público.

Los actores suelen estar dispuestos a "exagerar" los sentimientos y las emociones para que el espectador comprenda todo el significado.

Imagina que ahora estás entre la multitud. ¿De quién estás leyendo los sentimientos y las emociones?

La mayoría de las veces, estarás leyendo las emociones y los sentimientos del personaje. No los del actor que está frente a ti.

También puede estar reaccionando emocionalmente a lo que está recibiendo.

Entonces, ¿dónde está el "conocimiento": en el emisor (el actor) o en el receptor (el público)?

Un gran actor es totalmente capaz de interpretar de forma convincente una amplia gama de personajes, algunos muy diferentes a su propia personalidad.

¿Qué puede significar esto en nuestro mundo cotidiano?

La mayoría de nosotros interactuamos con otras personas y, cuando lo hacemos, influimos en el estado de ánimo y la actuación de las personas que nos rodean. Sin embargo, a veces hacemos una representación, sobre todo si queremos dar la imagen de una persona feliz y positiva cuando en realidad nos sentimos deprimidos y potencialmente angustiados. No queremos revelar nuestros verdaderos sentimientos, de lo contrario, el ambiente y la cultura de nuestro entorno podrían verse muy afectados.

En estos casos utilizamos nuestro control emocional para dejar de lado lo que pensamos y sentimos y mostrar a la gente un conjunto de emociones y sentimientos más optimistas. Esto tiene que ser genuino en el sentido de que estás presentando un conjunto de emociones y pensamientos que normalmente mostrarías si estuvieras realmente contento con ello. Cualquier otra cosa probablemente no habría funcionado.

El objetivo debe ser retener o incluso elevar el estado de ánimo que te rodea y que te retroalimente positivamente, y que te ayude a mejorar tu estado de ánimo y tus emociones sobre lo que ha ocurrido. Eso es un tipo de modificación del sesgo cognitivo.

Entonces, la idea aquí es que las personas emocionalmente duras aprendan a manejar la adversidad y la pérdida, pero que también comprendan cómo mantener una actitud positiva y una perspectiva positiva. Es decir, que controlen su respuesta emocional de forma que afecte a las emociones y sentimientos de los que les rodean, y cuando sea útil, también ayude a elevar sus propias emociones y sentimientos y a mantenerse positivos ante la adversidad.

Esto es coherente con nuestra comprensión de cómo podría funcionar la escala de control emocional en el modelo de las cuatro C. No significa insensibilidad hacia un adulto mentalmente duro. Podemos controlar sus sentimientos, claramente.

Por último, no hay ninguna implicación aquí de que la gente nunca deba expresar sus verdaderas emociones y sentimientos. Eso es más bien una cuestión de tiempo y lugar. Hay claras ventajas de expresar lo que realmente sientes, pero tal vez a aquellas personas en las que se puede confiar al tratar con esto, y que pueden ser capaces de comprenderte y ayudarte. Habrá momentos y lugares en los que tengas la responsabilidad de mantener la calma, y será más adecuado controlar y cubrir tus emociones. Esto es especialmente cierto si eres un líder y tus estados de ánimo o sentimientos, positivos o negativos, pueden tener un impacto significativo en quienes te rodean.

Es un campo que se explorará más a fondo, ya que tiene el potencial de ser relevante e importante para un gran número de personas.

Cómo ser mentalmente duro sin sacrificar la inteligencia emocional

Puedes creer que ser fuerte mentalmente significa ignorar tus emociones. En realidad, es lo contrario.

Dureza mental: es la capacidad de ser flexible y concentrado, de tomar decisiones y trabajar incluso en medio de circunstancias difíciles o de la adversidad. Es una cualidad muy apreciada entre los líderes. Sin embargo, los líderes mentalmente duros y eficaces no son los que ignoran sus propios sentimientos o los de los demás. En otras palabras, las personas más duras mentalmente suelen tener el mayor cociente de inteligencia emocional.

En 2018, una investigación descubrió que la fortaleza mental "se basa en la capacidad de utilizar las emociones con eficacia". También descubrió que los niveles de dureza mental se asociaban positivamente con una mayor inteligencia emocional, que describía como "la capacidad de una persona para dirigir sus pensamientos y acciones basándose en una reflexión sobre los sentimientos y las emociones propias y de los demás".

Tiene una visión interesante de sus propias emociones y de las de los demás. Aquí hay tres cosas que los líderes psicológicamente desafiantes saben sobre los sentimientos:

1. LAS EMOCIONES NO SON UN SIGNO DE DEBILIDAD

Cuando las empresas se vuelven menos jerárquicas y más planas en sus estructuras de gestión, es importante tener en cuenta las opiniones y emociones de los demás. Tomar decisiones unilaterales sin saber cómo afectarán a los demás y las emociones resultantes ya no funciona. Los estilos de liderazgo deben conseguir ajustarse a la cultura organizativa.

Pero también es importante no permitir que tus emociones en circunstancias de alto riesgo se utilicen en tu contra.

Los deportistas pueden entrar en el estado de la zona, que puede parecer carente de emociones, pero que en realidad está muy atento a lo que siente y a lo que ocurre a su alrededor. Lionel Messi mantendría sus emociones bajo control, ya que el adversario siempre intentaría hacerle responder de alguna manera durante una situación de juego. Siempre controlaría el aspecto de su estado emocional, y luego lo dejaría salir una vez terminado el partido fuera del campo o en el vestuario.

2.   LA EMPATÍA ES ESENCIAL

Mientras fui secretario general de mi departamento, vi que muchos compañeros tenían dificultades con algún área específica de sus estudios, especialmente con los cursos relacionados con la Física. Aunque estaba muy ocupada, seguía sacando tiempo de la nada para darles tutorías sobre lo que no entendían en Física. Incluso cuando me sentía extremadamente cansado, me esforzaba por hacer las tutorías. Podían ver el cansancio en mis ojos y muchas veces me decían "lo siento" e incluso me traían paquetes de comida. Esta empatía me hizo más responsable a sus ojos y me hice más fuerte mentalmente. Mi padre siempre me dice "la forma en que manejas las cosas pequeñas es la forma en que manejarás las cosas grandes".

Si crees que eres duro mentalmente y no tienes empatía, sólo estás nadando en medio del océano. Las personas mentalmente duras tienen empatía porque viven en beneficio de los demás. Sus vidas no son suyas y no pueden ser tan egoístas como para contemplar la posibilidad de rendirse porque aman a la gente que tienen detrás, no los beneficios que tienen delante. Por favor, apreciemos a nuestros padres por eso. Mi padre diría que es lo suficientemente estable económicamente como para cambiar su coche cada año, pero que no puede hacerlo por el bienestar de sus hijos. ¡Eso es empatía! Por favor, apreciemos a nuestros padres. Las personas mentalmente duras realmente se preocupan por el bienestar de los demás.

CONCLUSIÓN

¡Gracias por leer todo este libro!

Aunque este libro está llegando a su fin, el camino hacia la paz interior no ha hecho más que empezar. Estoy seguro de que sentirás más felicidad y tranquilidad en tu vida cuando empieces a incorporar poco a poco algunas de las ideas de esta novela. No pienses que no estás solo. En todo el mundo hay millones de personas altamente sensibles que también intentan hacer frente a un sistema nervioso débil. Disfrutarás de verdad de ser un individuo altamente sensible ahora que tienes las habilidades de afrontamiento para sobrevivir en nuestro entorno sobreestimulado.

Parece que nunca ha habido una época en la historia de la humanidad en la que más de un puñado de hombres y mujeres impares llegaran a ser socios iguales. Los hombres y las mujeres que ahora buscan la igualdad están haciendo algo diferente, y tienen una mejor comprensión de la esencia abrumadora de su misión. Investigaciones recientes sugieren que nuestras primeras respuestas a un humano se centran instintivamente en los prejuicios que experimentamos cuando éramos niños, por muy poco amables o inoportunos que nos parezcan ahora esos prejuicios. En realidad, se trata de un condicionamiento muy antiguo por parte de los humanos para ayudarnos a defender nuestro grupo interno devaluando cualquier grupo externo. Pero ahora sí que causa problemas, en todos los rincones del mundo. Este estudio también muestra que la única diferencia real entre los individuos raciales, patriarcales y no conscientes es el esfuerzo consciente que realizan estos últimos para superar sus prejuicios implícitos adquiridos en la infancia.

Sin embargo, la falta de discriminación no significa igualdad en todos los asuntos.

Por el contrario, implica que el control se reparte equitativamente según los deseos y capacidades de cada individuo. Las PAS conducirán al desarrollo de este tipo de igualdad de género porque somos excelentes en el reconocimiento de nuestros sistemas internos, incluso de nuestros prejuicios, y podemos comprender que la clase, como la personalidad, requiere una mentalidad diferente pero igual por parte de todos. También somos excepcionales a la hora de comprender las implicaciones de todas las estrategias posibles, por lo que podemos ver que un desequilibrio de dominio entre los sexos nunca contribuirá a la confianza y la intimidad que intentamos construir en los vínculos. Golfo de odio, entonces todo lo que odiamos en nosotros mismos lo lanzamos/proyectamos hacia ellos, de modo que nuestra mano pensó que era todo bonito y la suya todo malo.

Ya has dado un paso hacia tu mejora.

¡Mis mejores deseos!

Autodisciplina para principiantes

Guía para construir confianza, fuerza de voluntad, motivación y mantener hábitos. Autodisciplina, gestión del estrés, autoestima y esfuerzo para ser tu mejor versión

INTRODUCCIÓN

¡Gracias por comprar este libro!

¿Por qué es tan importante la fortaleza mental? ¿Y cómo se puede desarrollar más?

Ahora vamos a definirla y discutirla. La fortaleza mental puede definirse de varias maneras, que se indican a continuación.

Definición académica de la fortaleza mental:

"La fortaleza mental es la capacidad de resistir, gestionar y superar las dudas, los pánicos, las preocupaciones y las circunstancias que le impiden tener éxito o sobresalir en una tarea o hacia un objetivo o resultado de rendimiento que se ha propuesto alcanzar."

Definición de psicología del deporte para la fortaleza mental:

En la psicología del deporte, el término "dureza mental" se utiliza desde hace mucho tiempo. Me he familiarizado con la dureza mental en el deporte, concretamente en el fútbol, viendo a jugadores de la talla de Cristiano Ronaldo y Lionel Messi, que dominan el mundo del fútbol desde hace más de una década. Me veo obligado a decir que estos dos hombres son muy duros mentalmente. Puede que no volvamos a tener a estos hombres en la historia del fútbol.

Definición: "Tener la ventaja psicológica natural o desarrollada que te permite: en general, hacer frente mejor que tus oponentes a las numerosas exigencias (competición, entrenamiento, estilo de vida) que el deporte impone a un ejecutante; en particular, ser más constante y mejor que tus oponentes a la hora de permanecer resuelto, concentrado, confiado y bajo presión".

¿Qué distingue a la fortaleza mental del núcleo?

Las habilidades de dureza mental son una ventaja que hay que poseer en todos los ámbitos de la vida. Quienes practican y poseen el atributo que llamamos "dureza mental" ascienden rápidamente a puestos de autoridad y liderazgo en la industria, el deporte y el mundo del espectáculo, además de destacar en su vida personal.

¡Disfrute de tu lectura!

CAPÍTULO UNO. SINTONIZAR CON SUS ESTADOS DE ÁNIMO ACTUALES

La mejor manera de interpretarlo es en términos de reactividad emocional por todo lo que se habla del Cociente Emocional como "inteligencia".

Piensa que va desde Steve Jobs y Woody Allen en un extremo (bajo Cociente Emocional / alta reactividad) hasta la Reina de Inglaterra y Angela Merkel en el otro (alto Cociente Emocional / baja reactividad).

Los cambios de humor en las personas con un Cociente Emocional más bajo son moneda de cambio de comportamiento, pero esto es al menos predecible. ¿Qué es el cambio de humor?

"Cambios de humor" es un término común utilizado para describir las emociones que fluctúan rápida e intensamente. También describimos los cambios de humor como una "montaña rusa" de emociones que van desde la felicidad y la satisfacción hasta la frustración, la irritabilidad e incluso la depresión.

Una persona puede notar algo en su estado de ánimo que ha "desencadenado" un cambio, como un acontecimiento estresante en el trabajo.

Pero tampoco es raro que haya cambios de humor sin una causa evidente. A lo largo de un día, o incluso en unas pocas horas, las personas pueden experimentar estos cambios de humor.

Por ejemplo, tu compañero de trabajo malhumorado puede decir que cuando llega a la oficina se siente irritable, que "se levanta con el pie izquierdo". Si los ves más tarde en el día, puede que hayan cambiado su estado de ánimo. En realidad, puede que ni siquiera recuerden por qué estaban antes de mal humor.

¿Cuáles son las razones de los cambios de humor?

Todo el mundo experimenta cambios de humor de vez en cuando, pero si parece que los tienes con frecuencia o son tan graves que interrumpen tu vida cotidiana (incluyendo el trabajo y las relaciones), puede ser un síntoma de una enfermedad subyacente que necesita medicación.

Los cambios internos que se producen en nuestra vida afectan a nuestro estado de ánimo, pero no es sólo lo que ocurre en nuestro interior lo que define cómo nos sentimos; también respondemos a lo que ocurre a nuestro alrededor. Nuestras emociones también pueden verse afectadas por cambios externos en nuestras vidas y entornos, como el aumento del estrés en casa, en la escuela o en el trabajo.

1. Enfermedad y lesión: Aunque la palabra "cambios de humor" sugiere una causa emocional, los cambios también pueden estar asociados a enfermedades crónicas o lesiones cerebrales agudas,

como la demencia, el coma o un accidente cerebrovascular. Otras enfermedades (especialmente las neurológicas) también pueden provocar cambios de humor, como la diabetes, los trastornos del sueño, la esclerosis múltiple, los trastornos de la tiroides o la enfermedad de Parkinson.

2.   Desarrollo: los niños pequeños y los que empiezan a caminar suelen ponerse "de mal humor" cuando aprenden a controlar sus sentimientos, y pueden tener rabietas. Aunque suelen ser una parte normal del desarrollo emocional, los cambios de humor de los niños también pueden ser un síntoma de un trastorno mental subyacente, un problema de aprendizaje o incluso una enfermedad física. Los niños y adolescentes con trastorno por déficit de atención e hiperactividad, por ejemplo, pueden experimentar cambios de humor que pueden interferir en la escuela y las amistades. A medida que los niños crecen, los cambios de humor siguen siendo una parte natural de su desarrollo. Al llegar a la preadolescencia, los cambios de humor se deben principalmente a los cambios hormonales. Estos cambios de humor tienden a alcanzar su punto máximo durante la pubertad y se estabilizan lentamente al llegar a la edad adulta.

3. La dieta: Una persona que sigue una dieta inadecuada desde el punto de vista nutricional o que no come lo suficiente puede experimentar cambios de humor en respuesta a la fluctuación de los niveles de azúcar en sangre y a la desnutrición. Por ejemplo, si observas que tu compañero de trabajo gruñón tiene más brío después de desayunar y tomar una taza de café, su mal humor matutino puede deberse a la abstinencia de cafeína o a una bajada de azúcar en sangre (hipoglucemia).

Los trastornos digestivos que afectan a la capacidad del organismo para absorber nutrientes, como la enfermedad celíaca y la enfermedad inflamatoria intestinal (EII), también se han asociado a los cambios de humor. Estas enfermedades también se han relacionado con trastornos mentales específicos, como la depresión.

4. Alergias: Si tienes alergias estacionales, es posible que tu estado de ánimo se vea influido por la época del año en que sueles tener síntomas. Los estornudos constantes, los ojos llorosos y los picores también pueden provocar fatiga, sobre todo si interfieren con el sueño.

5. El sueño: El estado de ánimo de una persona también puede estar muy influenciado por la cantidad y la calidad del sueño que tenga. Una persona con falta de sueño (sobre todo cuando es crónica) puede experimentar intensas fluctuaciones del estado de ánimo, así como otros síntomas psiquiátricos. Tal vez tu colega no sea una persona muy matutina, pero su estado de ánimo se levanta de forma natural cuando se despierta y se siente más preparado para el día que le espera. El ritmo circadiano del cuerpo, que es conocido por influir en cuándo dormimos, también impulsa en cierta medida nuestro estado de ánimo a lo largo del día.

6. Medicamentos: Empezar o dejar de tomar un medicamento recetado también puede afectar al estado de ánimo de una persona. Aunque se espera que medicamentos como los antidepresivos y los estabilizadores del estado de ánimo afecten al estado de ánimo de una persona, los medicamentos recetados por otros motivos también pueden causar cambios de humor como efecto secundario. Aunque los cambios de humor pueden ser un síntoma de depresión o de otra enfermedad mental, algunos medicamentos utilizados para tratar estos trastornos también pueden provocar cambios de humor. A

veces, estos cambios de humor indican que la medicación no es la opción adecuada para el tratamiento, o que el diagnóstico que se ha dado a alguien puede no ser correcto.

7.   Consumo de sustancias: Las personas que padecen trastornos por consumo de sustancias también pueden ser más propensas a experimentar cambios extremos en el estado de ánimo, especialmente cuando no pueden conseguir o consumir una sustancia, o cuando intentan dejar una droga y experimentan abstinencia. Cuando se consumen indebidamente, los medicamentos conocidos por causar cambios de humor pueden tener efectos especialmente graves. Por ejemplo, los síntomas pueden ser erráticos e incluso poner en peligro la vida si una persona (como un atleta) abusa de los medicamentos con esteroides.

8.   Hormonas: Otras posibles causas de los cambios de humor pueden provenir de un desequilibrio de las sustancias químicas cerebrales que se asocian a la regulación del estado de ánimo, como en el caso del trastorno bipolar. Las fluctuaciones de las sustancias químicas del cerebro también pueden ser una función normal, como

los cambios hormonales del ciclo menstrual. Por la misma razón, los cambios de humor también son comunes en respuesta a otras causas de cambios en los niveles de hormonas (especialmente de estrógeno), como el embarazo y la menopausia. Sin embargo, el riesgo de que una persona sufra una depresión también aumenta durante estos periodos, por lo que los cambios de humor también pueden ser un signo de una enfermedad mental.

Volviendo a nuestra discusión anterior, los cambios de humor son moneda corriente en el comportamiento de las personas con un Coeficiente Emocional más bajo, pero esto es al menos predecible. Puedes adaptarte a ello sintonizando cuidadosamente con sus emociones y recordando que es probable que reaccionen de forma exagerada tanto a los acontecimientos buenos como a los malos. Cuanto más fluctúe el estado de ánimo de alguien y más reaccione de forma exagerada a las circunstancias y situaciones, mayor será tu necesidad de sincronizarte con sus emociones y montarte en las olas de su estado de ánimo, para no acabar aplastado por ellas.

- HACER LAS COSAS EXPLÍCITAS

Las personas difieren en su capacidad para dar sentido a las situaciones ambivalentes o ambiguas del mundo real, y la mayoría de los problemas de las personas con las que nos encontramos en el trabajo encajan en esta categoría. Independientemente de tu propio Coeficiente Emocional, si trabajas para alguien que no es naturalmente hábil para interpretar tus propias emociones e intenciones, es clave que le ayudes a entenderte. Utiliza la comunicación explícita, pon las cosas por escrito, expón claramente lo que piensas y quieres, y asegúrate de que se entiende tu mensaje, sin dar por supuesto que se capten las sutilezas.

•   SÉ UNA FUENTE DE CONOCIMIENTOS

Ganarás muchos puntos con tu jefe si puedes aprovechar tu intuición, suponiendo que tu Cociente Emocional sea mayor que el suyo, y ayudarle a interpretar las intenciones, los sentimientos y los pensamientos de los demás. En otras palabras, te conviertes en un "consejero" emocional y social de tu jefe al potenciar eficazmente su capacidad para dar sentido a los demás e influir en ellos. Esto significa hacerles un poco más de calle y mejorar sus habilidades básicas con la gente.

- EVITA SER UN AGENTE DE ESTRÉS

Incluso si no puedes poner en práctica las sugerencias posiblemente desafiantes expuestas en los tres primeros puntos, al menos deberías evitar ser una fuente de estrés para tu jefe. Esto significa mantener la calma, reducir la probabilidad de conflicto y actuar como una influencia tranquilizadora y calmante para él, lo que en esencia es exactamente lo contrario de su comportamiento. Ten en cuenta que los jefes, como la gente en general, tienen tendencia a preferir trabajar con personas que son como ellos, pero no es así cuando tienen un Coeficiente Emocional más bajo. Cuanto más volátil y excitable seas, más te gustará la compañía de personas estables y predecibles, aunque eso signifique que tus empleados hagan las veces de terapeutas o entrenadores informales.

Por último, recuerda que, aunque el Cociente Emocional suele ser ventajoso en el trabajo, algunas de las habilidades más solicitadas se benefician de un Cociente Emocional más bajo. Por ejemplo, las personas encargadas de trabajos creativos o artísticos, las que tienen que ser escépticas con los demás (director jurídico), o estar siempre paranoicas ante amenazas improbables (controladores aéreos), muestran niveles de Cociente Emocional inferiores a la media, incluso entre los que tienen éxito. Muchos trabajos que requieren un contacto interpersonal mínimo con los demás (trabajos remotos de informática o académicos) dependen mucho menos de las habilidades interpersonales y del Cociente Emocional.

Debemos aprender a aceptar las diferencias individuales, no sólo a tolerarlas. Una cultura organizativa formada únicamente por individuos con un alto Coeficiente Emocional estaría probablemente más cerca de una secta feliz que de una empresa innovadora y emocionante.

CAPÍTULO DOS. HÁBITOS DE LAS PERSONAS CON UNA NOTABLE FORTALEZA MENTAL

Primero, la definición: "La capacidad de trabajar duro y responder con resistencia al fracaso y a la adversidad; la cualidad interior que permite a los individuos trabajar duro y atenerse a sus pasiones y objetivos a largo plazo".

Ahora la palabra: agallas.

La definición de agallas describe casi a la perfección las cualidades que poseen todas las personas de éxito, porque la fortaleza mental sienta las bases del éxito a largo plazo.

Por ejemplo, las personas con éxito son excelentes para retrasar la gratificación. Las personas de éxito son excelentes para resistir la tentación. Las personas de éxito son excelentes para superar el miedo y hacer lo que tienen que hacer. (Por supuesto, eso no significa que no tengan miedo, sino que son valientes. Gran diferencia). Las personas con éxito no sólo priorizan. Siguen haciendo sistemáticamente lo que han decidido que es más importante.

Todas esas cualidades requieren fuerza y dureza mental, por lo que no es una coincidencia que esas sean algunas de las cualidades de las personas con un éxito notable.

Aquí tienes formas de hacerte más fuerte mentalmente y, por tanto, de tener más éxito:

1.   Actúa siempre como si tuvieras el control total.

Hay una cita que dice: "Los supervivientes no siempre son los más fuertes; a veces son los más inteligentes, pero más a menudo simplemente los más afortunados".

El significado de ser fuerte en esta cita se refiere a ser fuerte físicamente. Ser inteligente tiene que ver con lo fuerte que eres mentalmente. El hecho de que tu físico no te funcione no significa que tengas suerte. Tu inteligencia mental determina lo fuerte que eres y lo bien que puedes sobrevivir contra todo pronóstico; no por la fuerza o el poder.

Muchas personas creen que la suerte tiene mucho que ver con el éxito o el fracaso. Si tienen éxito, la suerte les favoreció, y si fracasan, la suerte estuvo en su contra.

La mayoría de las personas con éxito sienten que la suerte ha jugado algún papel en su éxito. Pero no esperan la buena suerte ni se preocupan por la mala suerte. Actúan como si el éxito o el fracaso estuvieran totalmente bajo su control. Si tienen éxito, lo han provocado. Si fracasan, lo han provocado.

Al no malgastar energía mental preocupándote por lo que pueda sucederte, puedes poner todo tu esfuerzo en hacer que las cosas sucedan. Y luego, si tienes suerte, oye, estarás aún mejor. No puedes controlar la suerte, pero definitivamente puedes controlarte a ti mismo.

2.   Deja de lado las cosas en las que no tienes capacidad de influir.

La fuerza mental es como la fuerza muscular: nadie tiene un suministro ilimitado. Así que, ¿por qué desperdiciar tu fuerza en cosas que no puedes controlar?

Para algunas personas, es la política. Para otros, es la familia. Para otros, es el calentamiento global. Sea lo que sea, te importa y quieres que a los demás les importe.

Bien. Haz lo que puedas hacer: Vota. Presta atención. Recicla y reduce tu huella de carbono. Haz lo que puedas hacer. Sé tu propio cambio, pero no intentes que los demás cambien porque no lo harán. Todo cambio se produce como resultado de las decisiones internas que tomamos, así que no intentes hacer o forzar a nadie a cambiar. Todo está dentro.

3.   Considera el pasado como un valioso entrenamiento y nada más.

El pasado es valioso. Aprende de tus errores. Aprende de los errores de los demás. Luego, déjalo pasar.

¿Es más fácil decirlo que hacerlo? Depende de tu perspectiva. Cuando te ocurra algo malo, considéralo como una oportunidad para aprender algo que no sabías. Considera tus errores como parte de tu éxito futuro. Cuando otra persona cometa un error, no te limites a aprender de él: considéralo como una oportunidad para ser amable, perdonar y comprender.

El pasado es sólo un entrenamiento; no te define. Piensa en lo que salió mal, pero sólo en términos de cómo te asegurarás de que la próxima vez, tú y la gente que te rodea sepáis cómo hacer que salga bien.

4.   Celebra el éxito de los demás.

Muchas personas (te garantizo que conoces al menos a unas cuantas) ven el éxito como un juego de suma cero: Sólo hay una cantidad para repartir. Cuando otra persona brilla, piensan que eso disminuye la luz de sus estrellas.

El resentimiento absorbe una enorme cantidad de energía mental, energía que es mejor aplicar en otra parte.

Cuando un amigo hace algo impresionante, eso no te impide hacer algo impresionante. De hecho, en lo que respecta al éxito, los pájaros de un mismo plumaje tienden a juntarse, así que acerca aún más a tus amigos de éxito.

Aquí en Nigeria, en África, tus amigos empiezan a envidiarte una vez que consigues un resultado excelente. Esta es una de las razones por las que no podemos desarrollarnos como nación. Yo he tenido muchas de esas y todavía las estoy experimentando hasta ahora. Me duele ver que mis amigos me dejan, pero por otro lado, me vería gravemente perjudicada si no los dejo marchar. Así que no obligo a nadie a ser mi amigo. Si quieres quedarte, puedes quedarte y si quieres irte, eres libre de irte cuando te convenga.

330

No te resientas de la genialidad. Crea y celebra la genialidad, dondequiera que la encuentres, y con el tiempo encontrarás aún más de ella en ti mismo.

5.   Nunca te permitas quejarte. (O quejarse. O criticar.)

Tus palabras tienen poder, especialmente sobre ti. Quejarte de tus problemas siempre te hace sentir peor, no mejor. Así que si algo va mal, no pierdas el tiempo quejándote. Pon esa energía mental en mejorar la situación. A menos que quieras quejarte eternamente, al final tendrás que mejorarla.

Así que, ¿por qué perder el tiempo? Arréglalo ahora. No hables de lo que está mal. Habla de cómo vas a mejorar las cosas, aunque esa conversación sea sólo contigo mismo. Y haz lo mismo con tus amigos o colegas. No te limites a servir de hombro sobre el que puedan llorar. Los amigos no dejan que los amigos se quejen; los amigos ayudan a los amigos a mejorar sus vidas.

6.   Céntrate sólo en impresionarte a ti mismo.

Permíteme recordar que los seres humanos son iguales en rango. Son las cualidades de la persona las que se ganan el respeto, más que la calidad y la cantidad de sus posesiones.

Nadie te quiere por tu ropa, tu coche, tus posesiones, tu título o tus logros. Todo eso son cosas. Puede que a la gente le gusten tus cosas, pero eso no significa que les gustes.

Claro, superficialmente puede parecer que les gustas, pero lo que es superficial también es insustancial, y una relación que no se basa en la sustancia no es una relación auténtica.

Las relaciones auténticas te hacen más feliz, y sólo formarás relaciones auténticas cuando dejes de intentar impresionar y empieces a ser tú mismo.

Y tendrás mucha más energía mental para gastar en las personas que realmente importan en tu vida.

7.   Cuenta tus bendiciones.

Tómate un segundo cada noche antes de apagar la luz y, en ese momento, deja de preocuparte por lo que no tienes. Deja de preocuparte por lo que otros tienen y tú no. Piensa en lo que sí tienes. Tienes mucho que agradecer. Incluso la Biblia dice, en todas las situaciones, da siempre gracias al Señor. Se siente muy bien, ¿verdad?

Sentirse mejor con uno mismo es la mejor manera de recargar las pilas mentales. A veces pienso que soy el hombre más completo del mundo. Una en particular en la que suelo pensar es que soy el adecuado para todas las chicas y un día, mi novia me dijo "Eres el tipo de hombre con el que todas las chicas querrán salir siempre". Eso me dio una impresión adicional muy profunda sobre mí mismo.

CAPÍTULO TRES. EL EXCESO DE PENSAMIENTO Y LA FORTALEZA MENTAL

A menudo se ha informado de que la dureza mental da lugar a un exceso de pensamiento que es perjudicial para la salud humana. Cómo dejar de pensar en exceso es un aspecto esencial del éxito personal y del crecimiento personal.

Para progresar en nuestro desarrollo humano, debemos dedicar tiempo a contemplar el desarrollo personal, así como diversos temas de crecimiento personal, como por ejemplo cómo dejar de pensar en exceso, que es exactamente la intención de estas sesiones virtuales de coaching personal.

El éxito personal se consigue mediante la ejecución disciplinada de un plan de desarrollo personal plenamente establecido.

Estas sesiones virtuales de coaching personal son para ayudarte en tu superación, crecimiento personal y desarrollo personal.

Pensar en exceso es una parte natural de la vida para muchos de nosotros, incluso cuando no somos conscientes de que lo hacemos. La investigación ha demostrado que el pensamiento excesivo es frecuente en los adultos jóvenes y de mediana edad, y el 73% de los jóvenes de 25 a 35 años se identifican como pensadores excesivos.

Hay más mujeres (57%) que se encuentran sobrepensando que los hombres (43%), lo cual es una diferencia significativa. Esto significa que la mayoría de las mujeres son sobrepensadoras, y la mayoría de los sobrepensadores son mujeres.

Tómate tu tiempo con este tema, considera cuidadosamente tus respuestas a las preguntas y anótalas. Se supone que el crecimiento personal no es fácil, se necesita valor para enfrentarse a uno mismo. Pero cuando desarrolles el valor y la fuerza mental para hacerlo realmente, estarás construyendo confianza.

Preguntas para descubrir las creencias sobre el pensamiento excesivo

• ¿Crees que la claridad y la profundidad de los pensamientos se crean cuando se piensa demasiado?

• ¿Crees que el cerebro tiene una capacidad limitada de pensamiento?

• ¿Cuáles crees que son las herramientas más eficaces para frenar los adelantamientos?

Creencias insostenibles sobre el exceso de pensamiento

• No tengo tiempo para escapar de mis pensamientos excesivos.

• Puedes dejar de pensar en exceso si eres lo suficientemente fuerte mentalmente.

- Pensar demasiado no tiene efectos adversos en la toma de decisiones.

Creencias de fuerza mental sobre el exceso de pensamiento

- El descanso y la recuperación mental y cognitiva son tan importantes como el descanso y la recuperación física.

- El descanso psicológico es un catalizador de la creatividad.

- Escapar de los pensamientos excesivos aumentará tu energía física y mental.

Preguntas escandalosas sobre el exceso de pensamiento

- ¿Utilizas el espacio entre tus pensamientos para descansar y recuperarte como una etapa de máximo rendimiento?

- Si incluyeras más descanso mental y recuperación en tu programa diario, ¿tendrías más éxito?

- ¿Qué estrategias de recuperación mental has utilizado en el pasado y cómo te han funcionado?

Preguntas de reflexión sobre el exceso de pensamiento

• ¿Crees que la recuperación mental es una excusa para hacer el tonto, o es una estrategia eficaz de rendimiento máximo?

• ¿Es posible que estés subestimando la magnitud del impacto que puede tener en tu capacidad de razonamiento el hecho de escapar del pensamiento excesivo?

• ¿Cómo distingues la sobrecarga emocional, mental, física y espiritual?

Entrenamiento de fuerza mental sobre el pensamiento excesivo

Pensar en exceso no es algo que se nazca haciendo, es un hábito aprendido que se forma con el tiempo, probablemente como mecanismo de defensa ante la posibilidad de fracaso. Así que, antes de seguir adelante, veamos qué podemos hacer al respecto.

Una razón por la que podemos estar predispuestos a rumiar: Nuestros recuerdos están unidos por poderosas asociaciones emocionales.

Cuando un acontecimiento desagradable nos pone de mal humor, es más fácil recordar otros momentos en los que nos hemos sentido mal.

Si te encuentras pensando en exceso, tienes que cambiar el canal de tu mente inmediatamente. Sencillo, ¿verdad? Casi siempre lo es. La advertencia aquí es que, aunque la solución es sencilla, ponerla en práctica requiere una práctica continua.

Cómo dejar de pensar demasiado en todo: 12 sencillos hábitos

¿Qué es lo que frena a la gente de la vida que realmente quiere vivir? Yo diría que algo muy común y destructivo es que no saben dejar de pensar en exceso.

Piensan demasiado en cada pequeño problema hasta que se convierte en algo más grande y aterrador de lo que realmente es. Sobrepiensan en cosas positivas hasta que ya no parecen tan positivas (y mientras la ansiedad empieza a aumentar).

O sobreanalizan y deconstruyen las cosas y así desaparece la felicidad que proviene de disfrutar simplemente de algo en el momento.

Ahora bien, pensar en las cosas puede ser algo estupendo, por supuesto. Pero perderse en una especie de desorden de pensamiento excesivo puede dar lugar a convertirse en alguien que se queda parado en la vida. En convertirse en alguien que se auto-sabotea las cosas buenas que ocurren en la vida.

Solía pensar demasiado en las cosas y eso me frenaba de una manera que no era nada divertida. Pero en los últimos cinco años, más o menos, he aprendido a hacer que este problema sea tan pequeño que ya casi no aparece. Y si lo hace, sé qué hacer para superarlo.

Me gustaría compartir doce hábitos que me han ayudado en gran medida a convertirme en un pensador más sencillo e inteligente y a vivir una vida más feliz y menos temerosa.

1.   Pon las cosas en una perspectiva más amplia.

Es muy fácil caer en la trampa de pensar demasiado en las cosas menores de la vida. Así que cuando estés pensando y dándole vueltas a algo pregúntate:

¿Importará esto dentro de 5 años? ¿O incluso dentro de 5 semanas?

He descubierto que ampliar la perspectiva utilizando esta sencilla pregunta puede sacarme rápidamente de la sobrepensación y ayudarme a dejar de lado esa situación.

Me permite por fin dejar de pensar en algo y centrar mi tiempo y energía en otra cosa que realmente me importa.

2.   Establece plazos cortos para las decisiones.

Si no tienes un plazo para tomar una decisión y pasar a la acción, puedes seguir dando vueltas a tus pensamientos y verlos desde todos los ángulos en tu mente durante mucho tiempo.

Así que aprende a ser mejor en la toma de decisiones y a pasar a la acción estableciendo plazos en tu vida diaria. No importa si es una decisión pequeña o más grande.

Esto es lo que me ha funcionado:

•   Para las pequeñas decisiones, como si debo ir a lavar los platos, responder a un correo electrónico o hacer ejercicio, suelo darme 30 segundos o menos para tomar una decisión.

- Para decisiones un poco más grandes que en el pasado me habrían llevado días o semanas, utilizo un plazo de 30 minutos o para el final de la jornada laboral.

3. Deja de preparar tu día para el estrés y el exceso de pensamiento.

No puedes evitar totalmente los días abrumadores o muy estresantes. Pero puedes minimizar el número de ellos en tu mes y en tu año si empiezas bien el día y no te predispones a un estrés innecesario, a pensar demasiado y a sufrir.

Tres cosas que me ayudan a ello son:

- Empieza bien.

Ya he mencionado esto antes y con razón. Porque la forma en que empiezas el día suele marcar el tono de tu jornada.

Una mañana estresada conduce a un día estresado. Consumir información negativa mientras vas en el autobús a tu trabajo tiende a conducir a pensamientos más pesimistas durante el resto del día.

Mientras que, por ejemplo, leer algo edificante mientras desayunas, hacer algo de ejercicio, y luego empezar con tu tarea más importante en este momento, establece un buen tono para el día y te ayudará a mantenerte positivo.

•   Haz una sola tarea y toma descansos regulares.

Cuando estoy en clase, juego mucho. Así que no parece que sea un tipo serio. Mis compañeros de curso me dicen que no soy serio, pero el hecho de que juegue mucho no significa que no sea serio.

Esto te ayudará a mantener la concentración durante el día y a hacer lo más importante, a la vez que te permite descansar y recargarte para no empezar a funcionar a tope.

Y esta mentalidad algo relajada, pero con un enfoque estrecho, te ayudará a pensar con claridad y decisión y a evitar acabar en un espacio mental estresado y con demasiados pensamientos.

•   Minimiza tu aportación diaria.

Demasiada información, demasiadas veces de tomar sólo unos minutos para revisar tu bandeja de entrada, tu cuenta de Facebook o Twitter, o cómo va tu blog o sitio web, conduce a más entradas y desorden en tu mente a medida que avanza el día.

Y así se hace más difícil pensar de forma sencilla y clara y es más fácil volver a caer en ese hábito familiar de pensar demasiado.

4.   Conviértete en una persona de acción.

Cuando sepas cómo empezar a pasar a la acción de forma consistente cada día, procrastinarás menos por pensar demasiado.

Establecer plazos y un buen tono para el día son dos cosas que me han ayudado a convertirme en una persona mucho más activa.

Dar pequeños pasos hacia adelante y centrarse sólo en dar un pequeño paso cada vez es otro hábito que ha funcionado muy bien.

Funciona tan bien porque no te sientes abrumado y así no quieres huir a la procrastinación o a la inacción perezosa.

Y aunque tengas miedo, dar sólo un paso es algo tan pequeño que no te paraliza el miedo.

5.   Date cuenta de que no puedes controlarlo todo.

Intentar pensar las cosas 50 veces puede ser una forma de intentar controlarlo todo. De cubrir todas las eventualidades para no arriesgarte a cometer un error, fracasar o quedar como un tonto.

Pero esas cosas forman parte de vivir una vida en la que realmente se amplía la zona de confort. Todas las personas a las que puedes admirar y que han vivido una vida que te inspira han fracasado. Han cometido errores.

Pero en la mayoría de los casos, también han visto esas cosas como una valiosa retroalimentación de la que aprender.

Esas cosas que pueden parecer negativas les han enseñado mucho y han sido muy valiosas para ayudarles a crecer.

Así que deja de intentar controlarlo todo. Intentar hacerlo sencillamente no funciona porque nadie puede ver todos los escenarios posibles de antemano.

Por supuesto, es más fácil decirlo que hacerlo. Así que hazlo en pequeños pasos si quieres.

6.   Detente en una situación en la que sabes que no puedes pensar con claridad.

A veces, cuando tengo hambre o cuando estoy tumbada en la cama y estoy a punto de dormir, los pensamientos negativos empiezan a zumbar en mi mente.

En el pasado, podían hacer bastante daño. Hoy en día me he vuelto buena para atraparlos rápidamente y decirme a mí misma

No, no, no vamos a pensar en esto ahora.

Sé que cuando tengo hambre o sueño mi mente a veces tiende a ser vulnerable a no pensar con claridad y a la negatividad.

No me trago mis palabras, así que sigo mi frase "no, no..." y me digo que pensaré en esta situación o asunto cuando sepa que mi mente funcionará mucho mejor. Por ejemplo, después de haber comido algo o por la mañana después de haber dormido mis horas.

Me costó un poco de práctica conseguir que esto funcionara, pero me he vuelto bastante bueno en posponer el pensamiento de esta manera. Y sé por experiencia que cuando vuelvo a examinar una situación con un pensamiento sensato, en el 80% de los casos el problema es muy pequeño o inexistente.

Y si hay un problema real, mi mente está preparada para afrontarlo de una manera mucho mejor y más constructiva.

7.   No te pierdas en vagos temores.

Otra trampa en la que he caído muchas veces y que me ha llevado a pensar demasiado es que me he perdido en vagos temores sobre una situación de mi vida.

Y entonces mi mente, que se desboca, ha creado escenarios de desastre sobre lo que podría pasar si hago algo.

Así que he aprendido a preguntarme: sinceramente, ¿qué es lo peor que podría pasar?

Y cuando he averiguado qué es lo peor que podría pasar, entonces también puedo dedicar un poco de tiempo a pensar en lo que puedo hacer si ocurre esa cosa, a menudo bastante improbable.

He descubierto que lo peor que podría ocurrir de forma realista no suele ser tan aterrador como lo que podría producir mi mente, que se desboca con un miedo vago.

Encontrar la claridad de este modo sólo suele llevar unos minutos y un poco de energía, y puede ahorrarte mucho tiempo y sufrimiento.

8.   Haz ejercicio.

Esto puede sonar un poco raro. Pero hacer ejercicio puede ayudar a liberar las tensiones y preocupaciones internas.

La mayoría de las veces me hace sentir más decidida y, cuando era más pensadora, solía ser el método que utilizaba para cambiar mi estado de ánimo a uno más constructivo.

9.   Duerme mucho y bien.

Creo que éste es uno de los factores que más se descuidan a la hora de mantener una mentalidad positiva y no perderse en hábitos de pensamiento negativos.

Porque cuando no has dormido lo suficiente, te vuelves más vulnerable.

Vulnerable a la preocupación y al pesimismo. A no pensar con la claridad que sueles tener. Y a perderte en pensamientos que dan vueltas y vueltas en tu mente mientras piensas en exceso.

Así que permíteme compartir un par de mis consejos favoritos que me ayudan a dormir mejor:

• Relájate

Al principio puede resultar agradable entrar en un dormitorio cálido. Pero he comprobado que duermo mejor y más tranquilo, con menos sueños aterradores o negativos, si mantengo el dormitorio fresco.

• Mantén los tapones cerca.

Si, como yo, te despiertas fácilmente con los ruidos, unos simples tapones para los oídos pueden salvarte la vida. Estos económicos artículos me han ayudado a dormir bien y a pasar por encima de roncadores, gatos ruidosos y otras molestias más veces de las que puedo recordar.

• No intentes forzarte a dormir.

Si no tienes sueño, no te metas en la cama e intentes forzarte a dormir. Eso, al menos en mi experiencia, sólo conduce a dar vueltas en la cama durante una hora o más.

Una solución mejor en estas situaciones es relajarse durante 20-30 minutos más en el sofá, por ejemplo, leyendo algo. Esto me ayuda a dormirme más rápido y, al final, a dormir más.

10. Pasa más tiempo en el momento presente.

Al estar en el momento presente en tu vida cotidiana, en lugar de en el pasado o en un posible futuro en tu mente, puedes sustituir cada vez más el tiempo que sueles dedicar a pensar demasiado en las cosas por el de estar aquí y ahora.

Tres formas que suelo utilizar para reconectar con el momento presente son:

- Desacelera y recupera el aliento

Disminuye la velocidad de lo que estás haciendo en este momento. Muévete más despacio, habla más despacio o monta en bicicleta más despacio, por ejemplo. De este modo, serás más consciente de cómo utilizas tu cuerpo y de lo que ocurre a tu alrededor en este momento.

- Dite a ti mismo: Ahora estoy...

A menudo me digo esto: Ahora estoy aquí. Y aquí podría estar lavándome los dientes. Dando un paseo por el bosque. O lavando los platos.

Este sencillo recordatorio ayuda a mi mente a dejar de divagar y me devuelve la atención a lo que está sucediendo en este momento.

- Interrumpe y reconecta.

Si sientes que te pierdes en el exceso de pensamientos, interrumpe ese pensamiento gritándote a ti mismo: ¡PARA!

A continuación, vuelve a conectar con el momento presente tomándote sólo 1 o 2 minutos para concentrarte plenamente en lo que ocurre a tu alrededor. Asimílalo todo con todos tus sentidos. Siéntelo, escúchalo, huélelo, míralo y siéntelo en tu piel.

11.   Dedica más tiempo a las personas que no le dan demasiadas vueltas a las cosas.

Tu entorno social desempeña un papel importante. Y no sólo las personas y grupos cercanos a ti en la vida real. Sino también lo que lees, escuchas y ves. Los blogs, los libros, los foros, las películas, los podcasts y la música que hay en tu vida.

Así que piensa si hay alguna fuente en tu vida, cercana o lejana, que fomente y tienda a crear más pensamientos excesivos en tu mente. Y piensa qué personas o fuentes tienen el efecto contrario en ti.

Encuentra formas de dedicar más tiempo y atención a las personas y a las aportaciones que tienen un efecto positivo en tu pensamiento y menos a las influencias que tienden a reforzar tu hábito de pensar en exceso.

12.   Sé consciente del problema (y recuérdatelo a lo largo del día)

Ser consciente de tu reto es importante para romper el hábito de pensar en exceso. Pero si piensas que simplemente te acordarás de dejar de pensar en exceso durante tu día normal, es probable que te estés engañando a ti mismo.

Al menos, si eres como yo. Porque necesitaba ayuda. Pero no fue difícil conseguirla. Simplemente creé unos cuantos recordatorios.

El principal fue una nota en la pizarra que tenía en una de mis paredes en ese momento. Decía: "Mantén las cosas extremadamente simples". Ver esto muchas veces durante el día me ayudó a dejar de pensar en exceso más rápidamente y a minimizar en gran medida este hábito negativo.

Otros dos tipos de recordatorios que puedes utilizar son:

•   Una pequeña nota escrita.

Simplemente utiliza una nota adhesiva o algo similar y escribe mi frase de pizarra, una pregunta como "¿Me estoy complicando demasiado?" o algún otro recordatorio que te resulte atractivo.

Pon esa nota donde no puedas evitar verla como, por ejemplo, en tu mesilla de noche, en el espejo del baño o junto a la pantalla del ordenador.

- Un recordatorio en tu smartphone.

Escribe una de las frases anteriores o una de tu propia elección en una aplicación de recordatorio de tu smartphone. Yo, por ejemplo, uso mi teléfono Android.

CAPÍTULO CUATRO. CÓMO SER UNA PERSONA ALTAMENTE SENSIBLE (PAS)

La capacidad de respuesta, la alta sensibilidad y la respuesta táctil al procesamiento son palabras que se utilizan en este libro para identificar una única característica inherente a la personalidad, descrita como una comprensión de las sutilezas de los estímulos, así

como una capacidad para distraerse con demasiados estímulos. Esta visión mejorada no es una función de los órganos de los sentidos, sino un cerebro que demuestra de forma especialmente profunda una técnica de procesamiento de la información.

La sensibilidad se observa en un 15-20% de la población. Curiosamente, en la mayoría de los mamíferos también se ha observado en casi el mismo porcentaje, desde las moscas de la fruta hasta los primates, aunque el tipo molecular y la apariencia difieren con la especie, por supuesto. Su distribución es más bien bimodal de lo habitual, es decir, las personas tienden a tener el rasgo o no. A medio camino no hay muchos.

Los biólogos suelen aplicar dos técnicas animales generales, que dan lugar a dos formas de personalidad inherente con nombres diferentes, como descarado frente a cauteloso, halcón frente a paloma, o insensible frente a receptivo. La primera parece ser el grueso. Su técnica consiste en avanzar rápida y agresivamente hacia las oportunidades de alimentación y apareamiento, si es posible, sin examinar demasiado la situación. Al estudiar deliberadamente las sutilezas de un escenario antes de comportarse, la minoría reactiva desarrolló una estrategia de protección minimizando los riesgos en comparación con el 80% más impulsivo o confiado. Ambos enfoques "pensar primero" y "actuar con prontitud" son eficaces, dependiendo de las condiciones ambientales.

Para los individuos, para la resonancia magnética funcional y más comúnmente en el pensamiento y el sentimiento antes y durante la acción, se encontró la técnica más sensible de comprobar el mundo y escuchar la información de los estímulos. Dicha técnica hace que haya una mayor conciencia de las sutilezas y consecuencias. Esto, a su vez, conduce a un mayor nivel de conciencia e imaginación, por ejemplo. En el lado negativo, este intrincado procesamiento crea un mayor potencial para sobreestimularse y perturbarse por los acontecimientos estresantes de la vida.

En cuanto al género, hay tantas personas receptivas que nacen de ambos sexos, y aunque la existencia de testosterona puede tener algún impacto posterior, suelen percibir la sensibilidad de forma diferente según la sociedad en la que residan. Si algunos hombres son sensibles y su cultura lo desaprueba, estos hombres tienden generalmente a encubrir su vulnerabilidad para parecerse más a un hombre típico. Por ejemplo, originalmente había una pregunta sobre el llanto fácil en la escala, a la que muchos encuestados estaban de acuerdo, pero los hombres lo hacían mucho menos. En realidad, los hombres sensibles seguían siendo ligeramente menos propensos a afirmar que lloraban con facilidad que otros hombres. Sin embargo, la eliminación de elementos como éste no modificó el resultado general de género, que fue que los hombres obtuvieron una puntuación más baja. Esto se debe probablemente a la impresión general de la escala. Definitivamente, los hombres sensibles tienen problemas diferentes a los de las mujeres sensibles y es probable que tengan mayores problemas en general.

La conclusión es que la sensibilidad es una característica innata que se encuentra en el 20% de los seres humanos, y también en la mayoría de los animales. Parece que se beneficia de una técnica de análisis deliberado del conocimiento antes de comportarse, lo que contribuye a la comprensión de las sutilezas, pero también a la posible sobreestimulación. Hay tantos hombres reactivos como mujeres, pero los hombres son más propensos a ocultar esta tendencia y suelen tener más problemas.

La PSH parece ser especialmente sensible al dolor, a las consecuencias de la cafeína y a las películas violentas. Las personas altamente sensibles en su vida también se ponen extremadamente ansiosas por las luces brillantes, los olores fuertes y los turnos. DescubriráS cientos de nuevas estrategias de afrontamiento en este libro complementario de *El individuo altamente sensible* para mantener la calma y la tranquilidad en el entorno sobreestimulante de hoy en día, convirtiendo su ansiedad en paz interior y alegría.

Las PAS considerarán que crecer es desalentador en una cultura que promueve la violencia y la sobreestimulación. John creció en la época de leyendas como John Wayne, cuando los hombres de verdad debían ser grandes, rudos y tranquilos. No encajaba en la escuela por ser un niño muy sensible y pensaba que había algo inherentemente malo en él. Desde muy joven conjeturó que era una mala persona porque pensaba que era vergonzoso ser emocional. Prácticamente toda la angustia mental que experimentó al crecer estaba directamente relacionada con la falta de comprensión de su sistema nervioso tan reactivo.

Como adulto, es posible que sigas sufriendo una incomprensión sobre tu vulnerabilidad. Nuestro acelerado y violento entorno industrializado moderno tiene un efecto adverso en las PSH. Te cansarás rápidamente, para siempre.

La sensibilidad como servicio clínico

La alta sensibilidad a la personalidad inherente es una variación normal. Tiene una alta prevalencia y tiene muchos beneficios. No es un diagnóstico de categoría. Mientras que el trastorno mental es ortogonal. Cualquier persona sensible tiene trastornos diagnosticables, al igual que algunas personas no sensibles. A la mayoría no les gusta lo que hacen las personas insensibles.

Sin embargo, se ha demostrado que las personas extremadamente sensibles son más vulnerables al estrés, la ansiedad y la timidez si han tenido una infancia dura, pero con suficientes pruebas de que la infancia no es más predictiva de esta característica que las personas no sensibles. De hecho, los niños sensibles parecen beneficiarse de una buena infancia más que otros. Sin embargo, muchos tienen deficiencias de diverso grado, especialmente trastornos del estado de ánimo y de ansiedad.

Por otro lado, se verán pacientes altamente sensibles que no tienen una enfermedad, pero a los que se les ha diagnosticado una, y algunos tendrán una enfermedad, pero están mal diagnosticados. (También se pueden ver muchas personas que creen que son altamente sensibles, se enteran de ello y, en realidad, no tienen ninguna enfermedad). A veces, se dice que el rasgo descrito aquí está en el extremo superior de este espectro. Sin embargo, los requisitos para el autismo o el síndrome de Asperger no se correlacionan con la alta sensibilidad descrita aquí y observada en el 20% de la población. A muchos autistas les molestan los niveles elevados de determinados tipos de estímulos, pero otros tipos, sobre todo las señales sociales, no les perturban. Por el contrario, los individuos sensibles pueden manejar niveles elevados de estímulos sin confundirse o volverse totalmente agresivos, y utilizan formas más aceptables de reducir los estímulos a medida que se desarrollan.

Además, el malestar del autismo se atribuye al uso inadecuado de la información sensorial, que no se transmite a niveles más profundos. Las personas sensibles no perseveran como los autistas, aunque muestran altos niveles de empatía, así como habilidades sociales de satisfactorias a excelentes, especialmente en entornos familiares. Los problemas de integración sensorial también están asociados a la adaptación a la aplicación. Pero la alteración o enfermedad de la integración sensorial se relaciona con problemas neurológicos particulares y blandos que suelen reaccionar bien a la medicación. Mediante estas terapias, ciertos individuos sensibles (y, de hecho, la mayoría de las personas sedentarias a pesar de su temperamento) pueden cambiar. Sin embargo, no eliminaremos las características que se mencionan a continuación.

La discapacidad es algo que se espera que mejore o disminuya. Aunque la vida de las personas sensibles cambiará con la comprensión de sus características y pueden aprender formas de adaptarse, ninguna terapia puede erradicar la alta sensibilidad inherente, y no hay justificación para querer hacerlo a pesar de sus beneficios en determinados contextos.

Diferencias de género y etnia

Una forma más sencilla de pensar en esta característica es que se trata de una variación común en la persona, muy parecida al género, pero sólo en una minoría de la población, muy parecida a una determinada etnia. Dado que muchas personas responden afirmativamente a cada uno de los ítems de la Escala HSP, mientras que muchas otras responden negativamente a cada uno de los ítems, podría argumentarse que esta diferencia es al menos tan poderosa en su efecto como el género y la etnia. Sin embargo, se trata de una diferencia en gran medida invisible, que crea retos sociales únicos para quienes la padecen.

Hay problemas específicos correlacionados con el hecho de ser altamente sensible, al igual que con el género y la etnia, algunos de ellos relacionados con la propia condición, como estar rápidamente sobreexcitado, y otros debidos a la cultura en la que se encuentra. Los niños de primaria con esta característica, por ejemplo, son habituales entre sus compañeros en China; no lo son en Canadá. Así pues, los individuos sensibles pueden tener una autoestima alta o baja, dependiendo de la cultura.

También hay afecciones que no tienen nada que ver con la susceptibilidad en sí, sino que el carácter aporta un cierto color a la afección. Por ejemplo, al comprender el papel de la sobreestimulación en sus síntomas, un cierto porcentaje de personas sensibles con trastorno de pánico se recuperan con relativa facilidad, mientras que los ataques de pánico en personas no sensibles tienen menos posibilidades de ser tratados de esta manera.

PAS comparada con otro rasgo de personalidad

La Escala PAS se solapa con las pruebas de introversión, pero no es equivalente a ellas, ya que alrededor del 30% de los individuos sensibles se consideran extrovertidos. Esta estadística depende de la prueba de introversión que se utilice, ya que estas pruebas no se corresponden bien por sí mismas.

La asociación es generalmente mayor sobre el neuroticismo. Una explicación es que, una vez más, los individuos muy sensibles con una infancia difícil tienen más probabilidades de estar deprimidos, ser nerviosos y tímidos, es decir, tener más efectos negativos (el concepto común de neuroticismo como característica de la personalidad) que las personas no sensibles con el mismo grado de lucha y trauma en la infancia. Muchos individuos sensibles habrán tenido una infancia dura en cualquier muestra aleatoria, por lo que aumentan las puntuaciones medias de neuroticismo de todo el grupo vulnerable, a menos que el contexto de la infancia esté regulado estadísticamente.

La timidez sigue la misma tendencia, pero sólo se manifiesta si también está presente un efecto negativo. Es decir, si las personas sensibles han tenido una infancia difícil y esto ha culminado en altos niveles de efecto negativo, es más probable que sean cautelosas. No la mala infancia de todas las personas sensibles contribuye a los efectos negativos. Los resultados de las experiencias desafortunadas son la timidez y el efecto negativo, no el rasgo en sí.

La conclusión es que la introversión, el neuroticismo o la timidez no son lo mismo que la alta sensibilidad.

Some Distinguishing HSP Personality to Note

El pensamiento profundo típico de todas las personas altamente sensibles contribuye a las siguientes características. Esta lista se basa en datos privados publicados y algunas otras pruebas o, en algunos casos, en una amplia experiencia, tanto científica como en entrevistas de estudio, excepto cuando se indica. Ninguna persona sensible las tendría todas, pero debería tener una amplia variedad de ellas, en contraposición a tener un puñado (sólo en los márgenes o meramente en la conciencia), lo que podría ser atribuible a algo distinto de una profunda diferencia genética.

•Ser muy consciente de las sutilezas o los pequeños cambios.

•Querer analizar cualquier aspecto y posible resultado antes de decidir "hacerlo una vez y hacerlo correctamente" frente a la propensión de la mayoría a determinar antes. Por ejemplo, esto se traduce en ser más rápido que las personas no sensibles a la hora de tomar decisiones, ser más consciente de los riesgos y beneficios, y ser visto como lento pero preciso.

•Estar más atento a los pensamientos y reacciones de los demás, reunir más conocimientos a partir de las señales no verbales, y predecir con precisión atribuible a la intuición de los efectos probables de un escenario en los demás.

•Haber sufrido más daños a causa de malas experiencias en la infancia o en la edad adulta, pero probablemente beneficiarse más de entornos extraordinariamente positivos (crianza o instrucción infantil hábil, o gestión adulta concienzuda).

•Actúan con más conciencia porque están muy atentos a las causas y las consecuencias: cómo han salido las cosas como son y cómo salen, según lo que se haga. Más a menudo piensan: "¿Y si todo el mundo ha dejado su basura?". "Si no termino mi trabajo a tiempo, retrasaré a todos".

•Expresa una consideración poco común sobre la justicia social y el ambiente y un grado extraordinario de sensibilidad, incluso en la infancia.

•Estar rápidamente sobreestimulado. Cuantos más estímulos tenga una persona, más excitación y sobreexcitación le provocan un peor rendimiento. Sin embargo, las personas sensibles se ven superadas antes por menos estímulos y, por tanto, experimentan más problemas o contratiempos en circunstancias extremadamente estresantes (por ejemplo, competiciones, recitales, hablar en público, encontrarse con visitantes de confianza, recibir clases o estar bajo supervisión, entrenamiento programado, y también zonas ruidosas, concurridas, etc.).

•Sentirse creativo, con talento o entusiasmado por las artes.

•Muy interesado en la espiritualidad y a menudo involucrado en una práctica particular;

•Expresar una mayor respuesta emocional ante acontecimientos que provocan emociones cercanas, pero menos, en los demás;

•Observa el dolor extremo debido a las modificaciones.

•Si se le pide que informe de sueños inusualmente vívidos puede narrar en profundidad lo que ha sucedido.

•Recordar que alguno de estos rasgos apareció por primera vez en la pubertad. Quejarse de condiciones demasiado molestas o poco estéticas. Los adolescentes sensibles parecen soportar más la música alta, las multitudes y la multitarea, pero esto mejora a finales de los 20 años.

•Obtención de resiliencia física – respuesta más rápida a los sobresaltos; sistema inmunitario más agresivo (por ejemplo, más alergias al tacto; Bell, 1992) y mayor capacidad de respuesta al malestar, a los estimulantes (por ejemplo, la cafeína) y a la mayoría de los medicamentos.

•Hablar de forma considerada, a menudo indirecta.

•Considerar que la naturaleza es excepcionalmente calmante, relajante o más afectada por su majestuosidad. Aficionado a las plantas, a los animales y a estar cerca o dentro del agua.

Impacto de su gran naturaleza emocional

Una explicación de por qué las personas sensibles son tan interesantes y difíciles de tratar, y tan vulnerables a los diagnósticos erróneos, es que todos los individuos sensibles responden a una circunstancia específica generadora de emociones con mayor intensidad, aunque de forma normal. Es un argumento que no se refleja explícitamente en el cuestionario, en parte para evitar el sesgo de género.

Si el deseo de procesar mejor la información es la razón subyacente que explica los diferentes comportamientos del altamente sensible, ¿cómo es que esto conduce a reacciones emocionales más fuertes? Se podría suponer que esta reflexión tiene un efecto tranquilizador, pero la exposición sensorial a la percepción implica necesariamente una mayor emocionalidad, al menos por dos motivos. En primer lugar, la emoción controla el procesamiento cognitivo, ya que nada se procesa durante mucho tiempo sin una valoración emocional importante o interesante. En segundo lugar, la producción influye en la emoción, en el sentido de que cuanto más se almacena algo que tiene un significado emocional, más emoción produce.

La mayor emotividad está relacionada con la experiencia que ya he mencionado, en la que las personas sensibles con una infancia problemática son más susceptibles de sufrir depresión, ansiedad y timidez que las que tienen el mismo grado de angustia. Sin embargo, los altamente sensibles también son más sensibles a las respuestas positivas fuertes que los demás, como la reacción a los incentivos.

Caracterizar esta característica como una "susceptibilidad extrema" inherente o "propensión al efecto negativo", o "neuroticismo" en ese contexto, sería una descripción tan limitada como utilizar "cáncer de piel pronunciado" como única palabra que se puede despellejar por igual.

Sin embargo, sigue siendo cierto que los individuos muy sensibles experimentan respuestas emocionales más fuertes, una consideración sustancial a tener en cuenta por los psicoterapeutas. Una crítica leve puede evocar vergüenza. El aprecio leve dará lugar a la euforia o quizás a una concepción errónea de sus emociones.

Lo que no se nota en las personas muy sensibles

También es útil pensar en cómo se ven a sí mismos los individuos que no son altamente sensibles. Puesto que se trata de la mayoría de la gente, se puede determinar claramente lo que a la mayoría de la gente le gusta o no le molesta. No les suelen molestar los ruidos, las alteraciones visuales, los cambios bruscos u otras facetas de la atmósfera o la percepción de una persona susceptible que la sobreestimulen. Esto queda muy claramente ilustrado por el nivel aceptable de excitación en los entornos laborales y por el grado placentero de la misma en las actividades de ocio y los medios de comunicación. A la ridícula mayoría le gusta sobre todo la estimulación visual rápidamente cambiante de los videojuegos, los anuncios de televisión y las películas de acción. Durante las vacaciones prefieren las ferias callejeras, las actividades deportivas importantes y los centros comerciales. A algunos les encantan las películas de terror, los deportes peligrosos y ver dramas que contienen crímenes inquietantes. Tampoco se preocupan demasiado por el potencial hasta que se descubren o se hacen costosos los efectos de alguna práctica.

Un gran número de personas, por ejemplo, se niega a someterse a las pruebas de detección del cáncer de próstata, de pulmón y de mama.

Una vez más, el resto se arriesga con una planificación menos exhaustiva, eligiendo únicamente lo que es un comportamiento común. ("Nunca esperé que eso ocurriera") Las personas altamente sensibles se arriesgan, pero se cuidan. Para empezar, parecen ser especialistas en salud en un deporte peligroso y es mucho menos probable que se lesionen. Cuando pierden en algo, en lugar de reflexionar sobre su error y ajustar la táctica, como hace la minoría, quieren volver a intentarlo al instante. La actitud de la mayoría adora ambas formas de juego. Están menos influenciados por el fracaso real o percibido o por otros errores financieros. Suelen ser menos reactivos emocionalmente. Y pueden mostrar más sus sentimientos, como expresar su ira por el servicio que prestan, aunque la comunicación pública de la ira suele ser socialmente peligrosa y muy estimulante. También es habitual que la mayoría de las personas hablen de forma directa la mayor parte del tiempo, preocupándose menos de cómo su sonido o su elección de palabras puede influir en el público, ya que consideran que los demás son bastante imperturbables como ellos mismos.

Algunas personas aman la naturaleza y en ella encuentran refugio. Pero los insensibles prefieren verla más como una forma de realizar cosas y se preocupan menos por el sufrimiento de los animales que por su propio ganado. Podemos seguir una fe, pero menos dudan de ella. Son relativamente menos los que piensan en cuestiones espirituales, en la religión o en "el sentido de la vida". Pero volvamos a la creación de un ambiente entre individuos altamente sensibles retratando a uno como lo haría en su lugar de trabajo.

Puede ser útil observar cómo las personas reactivas no coinciden con los otros pacientes en el sentido de que estos últimos no se sobreestimulan fácilmente –afectados por el ruido o los cambios repentinos, por ejemplo– y son menos propensos a notar sutilezas como los cambios en su lugar de trabajo. Aunque lo que sigue es una generalización excesiva, los pacientes no sensibles serán los creadores de los videojuegos, los aficionados, los deportes de equipo y las películas de acción; no les molesta la violencia; asumen más riesgos y les encanta hacerlo; planifican menos las actividades y hablan con más claridad, sin pistas. Son reacios a utilizar la naturaleza más que como lugar de solaz para el ocio, y aunque son morales, han ofrecido menos sus convicciones.

CAPÍTULO CINCO. ALTA SENSIBILIDAD Y ALTA BÚSQUEDA DE SENSACIONES

Las personas muy sensibles también pueden ser buscadoras de estímulos elevados. Es algo contraintuitivo, pero hay que abordarlo con la suficiente antelación para comprender esta importante variabilidad de rasgos. Esos dos rasgos son independientes entre sí, y están regulados por vías cerebrales diferentes. Hasta la fecha, se cree que el deseo de placer se desencadena en regiones de recompensa excesivamente intensas, que están más asociadas a la dopamina. La sensibilidad es menos conocida, pero posiblemente esté causada en parte por una mayor actividad en las áreas que facilitan la inhibición

375

de la acción junto con la focalización de la alerta, una tendencia asociada a la serotonina baja, que proporciona las condiciones ideales para un procesamiento más profundo de la información. Por lo tanto, la comprensión correcta de la alta sensibilidad no es una evasión de los estímulos, aunque contribuya a la evitación de la sobreestimulación.

En realidad, responden más al rendimiento y a la recompensa que otros. Más bien, la necesidad de analizar una circunstancia antes de comportarse es el incentivo subyacente que proporciona la condición, por lo que lo contrario de ser extremadamente sensible es ser impulsivo.

Las personas sensibles que buscan sensaciones son propensas al aburrimiento. Como ha dicho Susan, sin otras empresas de su existencia, no sería una exitosa ama de casa. Por lo general, les gusta probar nuevos restaurantes y nuevas cocinas, no el mismo lugar de siempre (a menos que se sientan sobreestimulados). A Susan le encantaba probar nuevos trabajos. No nos gusta ver la misma película dos veces, a menos que sea una muy bonita.

Hacen vuelos en ala delta o viajes a lugares exóticos, pero nunca son impulsivos y planifican la operación con antelación, haciendo todo lo posible para garantizar su seguridad. Puede que les gusten las sorpresas, pero no les gustan las sorpresas ni los riesgos elevados. Pero dado que el sistema de recompensa impulsado por la dopamina crea un elevado deseo de comprometerse o actuar inmediatamente, mientras que el sistema de evitación tiene como objetivo hacer precisamente eso, al estar elevado en ambos factores puede ser difícil crear un retraso para comprobar las cosas. "Es como vivir con un pie en el suelo y otro en el freno", como lo llamó una persona con esta mezcla. La persona altamente sensible también puede ser una cazadora de sentimientos fuertes. Somos rasgos independientes. La sensibilidad es la inversa de la impulsividad, no simplemente un miedo a la novedad.

Valores sociales y sensibilidad

En los últimos diez o veinte años se ha producido una mayor tolerancia de la empatía y algunos cambios maravillosos en los valores sociales. Mientras que la mayoría de la gente ha sido educada para actuar con severidad y ocultar los sentimientos, muchos hombres modernos creen ahora que la empatía es una característica positiva.

En los últimos años, se han publicado en los medios de comunicación varios informes sobre la conexión entre las enfermedades relacionadas con el estrés y las condiciones de trabajo intensas, lo que ofrece a la gente la oportunidad de dudar de si trabajar bajo una gran presión merece la pena para su bienestar.

Aunque ahora existe una subcultura de personas ilustradas que aceptan la conciencia como una característica valorada tanto para los hombres como para las mujeres, se ha producido un inquietante aumento de la sobreestimulación en nuestra comunidad. *I Want to Hold Your Hand* era una canción popular en los años 60, aunque hoy la reconocida música estridente suele estar repleta de palabras malsonantes y abusivas. Cortar las aulas era uno de los peores delitos en la escuela hace una generación, mientras que en varias escuelas urbanas ahora hay guardias de seguridad y detectores de metales para disuadir de los tiroteos escolares.

En los años 50 quedaban tres o cuatro emisoras de televisión, aunque hoy estamos inundados con cerca de 1000 emisoras que emiten una plétora de programas plagados de sexo gráfico y violencia gratuita. El teléfono doméstico fue sustituido por los millones de teléfonos móviles que son habituales en la sociedad moderna, generando una cacofonía mundial de clamor. Hace poco, estaba subiendo a una majestuosa cima de montaña en Colorado, disfrutando de la tranquilidad y la belleza del entorno natural, cuando un hombre pasó a mi lado gritando por su teléfono móvil: "¡Te dije que hicieras vender las acciones!". Hace treinta o cuarenta años, la mayoría de la gente compraba en pequeñas tiendas de barrio y tenía una relación personal con el propietario o el dependiente de la tienda.

Prácticamente todas las tiendas familiares han sido sustituidas en la mayoría de los entornos urbanos por empresas masivas e impersonales que podrían llamarse "Stimulation Depot" o "Noise R Us". Tienes que competir con cientos de otros clientes mientras buscas desesperadamente comprar entre miles de artículos, o caminar tratando de encontrar ayuda de los pocos dependientes frustrados y mal pagados. Puedes entender por qué las PSH siguen considerando que ir de compras es un proceso emocionalmente agotador hoy en día, debido a este intenso nivel de estímulo. Hay un vídeo que muestra a una mujer joven haciendo la compra de pasta de dientes. Cuando decidió elegir entre una plétora de productos de pasta de dientes, se sintió abrumada: anticaries, con flúor, sin flúor, antigingivitis, blanqueador extra, spray, forrado, antimanchas para cigarrillos, seguridad para las encías, 15% de ahorro grande, 20% en extra grande. Se sintió tan agotada después de evaluar la plétora de artículos que seleccionó, que se fue a casa a acostarse por el cansancio.

La edad es un factor determinante en nuestra respuesta a los estímulos. La sobreestimulación afecta más profundamente a los niños y a las personas mayores. Como los niños aún no han desarrollado la capacidad de articularse, siguen respondiendo intensamente.

Cuando son adolescentes y adultos jóvenes, las PSH son más sensibles a la sobreestimulación. Muchos adolescentes con PSH suelen soportar también escuchar música a todo volumen y beber durante toda la noche. Cuando maduras, el potencial de excitación disminuye, y es normal que muchas PSH de mediana edad se acuesten pronto y eviten salir mucho. Sin embargo, siempre hay que encontrar un equilibrio entre el exceso de estímulo y la escasa estimulación. La capacidad de absorber el malestar sigue creciendo después de los sesenta y cinco años.

En la mayoría de las culturas, la adaptación a los principios de las PAS se hace difícil para la persona sensible, ya que la mayoría de los países favorecen el comportamiento agresivo. La adaptación de las PAS se basa en la sociedad en la que han nacido. Una encuesta realizada entre niños de escuelas canadienses y chinas mostró que los niños altamente sensibles de Canadá eran los menos queridos y respetados, mientras que los niños sensibles de China eran los más comunes. Tuve un estudiante de intercambio de Tailandia que se quedó conmigo durante un año. James era un chico tranquilo y amable de dieciséis años cuando llegó a EEUU. Dice que la compasión y la dulzura eran respetadas por los tailandeses.

La mayoría de los ciudadanos de Tailandia hablan y se mueven con tranquilidad, y quizá sean los más amables del mundo. Según le oí interactuar con sus compañeros tailandeses, iban a hablar con voces melódicas y suaves. A James le costó mucho adaptarse al violento entorno del instituto estadounidense, donde se valoraba la conducta masculina fuerte y belicosa, mientras que la dulzura y la empatía se consideraban una debilidad. James empezó a ignorar su vulnerabilidad y trató de volverse más asertivo en la cultura occidental no PAS para prosperar.

Los países varían en cuanto a la presión a la que se somete a su población.

Un estudio indicó que los holandeses mantienen a sus hijos más tranquilos que los americanos, que someten a sus bebés a más estímulos en general. Los niños de la India se educan con muchos estímulos, lo que dificulta la PAS. Sin embargo, las personas sensibles de la India se están acostumbrando a experimentar un ruido incesante. Hubo una entrevista a un hombre indio altamente sensible que llevaba cinco años viviendo en EEUU. Ramesh declaró que cuanto más tiempo vivía en EE.UU., más se aclimataba a la atmósfera comparativamente tranquila, y que cuando visitaba la India, era un reto para él. Sin embargo, como nació en un entorno extremadamente ruidoso, me aseguró que se adapta gradualmente a la sobreestimulación de su país natal y, al cabo de un tiempo, el ruido excesivo no le molesta tanto.

Aunque las PAS que nacen en entornos sobreestimulantes pueden lidiar con la estimulación intensa más rápidamente, las personas sensibles criadas en comunidades menos estresantes tienen más dificultades para afrontarlo. Una estadounidense altamente sensible dijo que participó con occidentales e indios en un viaje cultural por la India y su relato mostraba cómo los estadounidenses adoran su espacio tranquilo. Dijo que las mujeres indias y americanas habían dormido en dos grandes habitaciones diferentes en la calle.

En una de ellas, todas las mujeres indias dormían juntas en una esquina abrazadas como una camada de cachorros, mientras que en la otra habitación todas las mujeres americanas dormían precisamente separadas por tres filas. Del mismo modo, si una PAS de la zona rural de Montana se trasladara a Manhattan, la tensión de sus sentidos la abrumaría fácilmente. En el caso contrario, las personas sensibles que se han acostumbrado a la sobreestimulación urbana pueden tener problemas para adaptarse a un entorno rural tranquilo. Durante mi estancia en las bucólicas montañas de la Sierra de California, tuve un amigo que me visitó durante el fin de semana trabajando en el centro de San Francisco. Estaba nervioso por la falta de estimulación y quería ir a la ciudad más cercana, a treinta minutos de distancia. Una estudiante altamente sensible que vivía en un barrio urbano muy concurrido me dijo que había tenido problemas para dormir en una visita reciente al campo debido a la tranquilidad.

CAPÍTULO SEIS.
AUTODISCIPLINA Y LA
EMPATÍA

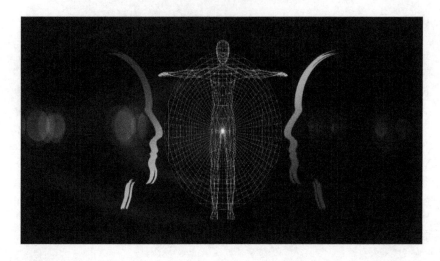

Conociendo, reconociendo y apreciando tu sistema nervioso sensible

y descubriendo formas realistas de afrontar tu ansiedad, poco a poco

podrás identificar y desprenderte de cualquier falsa creencia

interiorizada de que algo está intrínsecamente mal en ti. En esta

cultura, las PAS son una gran minoría que valora y se nutre de la

sobreestimulación, la rivalidad y la agresividad. Sin embargo, hay que

encontrar un compromiso entre los soldados y jefes ejecutivos no

PAS y los psicólogos y artistas, en su mayoría PAS, para que la

sociedad funcione a un nivel óptimo.

En realidad, si hubiera más PAS, probablemente viviríamos en un planeta más seguro, con menos conflictos, menos devastación medioambiental y menos terrorismo. Es la PAS, cuya vulnerabilidad ayuda a crear restricciones de humo, emisiones y ruido.

Sin embargo, es importante señalar que las no PAS y las PAS groseras e insensibles son muy cariñosas y amables. Mi padre no PAS era, en verdad, una de las personas más consideradas y cariñosas que he conocido.

Aunque la mayoría de las no PAS son bondadosas, la mayoría de las culturas exaltan las características violentas de las no PSH en los medios de comunicación. Algunos de los jefes de las grandes empresas ' no PSH dañaron gravemente la tierra con la perforación indiscriminada de petróleo, la quema de árboles claros y la contaminación ambiental. El individuo altamente sensible tiene la importante misión de actuar como contrapeso al comportamiento más agresivo de algunas de las no PSH que promueven un enfoque contra las personas, los animales y la Madre Naturaleza que es poco compasivo. Y aunque te hayan aconsejado que eres demasiado ingenuo, el hecho es que la prevalencia de los ideales crueles ha creado un mundo al borde del desastre, y nuestra única esperanza de salvar la Tierra es siendo compasivos y amables con todos los seres sintientes.

Aunque nuestras características pueden ser desalentadoras, algunos de los maravillosos beneficios de ser una PSH pueden ser los siguientes Son atentos y tienen la capacidad de apreciar profundamente la elegancia, la moda y la música. Gracias a nuestras sensibles papilas gustativas, nuestro buen sentido del olfato nos permite apreciar a fondo los olores dulces y naturales, como las rosas. Son creativos y parecen tener una profunda experiencia de lo sobrenatural. Notamos el peligro potencial, como tener una garrapata que se arrastra por nuestra piel automáticamente, más rápido que los no PAS. Somos muy conscientes de las cuestiones de seguridad y seremos los primeros en aprender a evacuar un edificio en caso de emergencia. Nos tomamos muy en serio que los animales sean tratados con humanidad. Nos esforzamos por ser amables, cariñosos y pacientes, lo que nos convierte en buenos defensores, mentores y sanadores. Tienen entusiasmo por la vida y, si no estamos estresados, sentirán el amor y la alegría más intensamente que los que no son PAS.

Una parte de la sociedad no son PAS suele tener una visión negativa de nuestra conciencia. En todas las culturas, las PAS son una minoría que suele apoyar a las no PSH dominantes. Las que no son PAS pueden decirte ocasionalmente que algo va mal en ti cuando muestras la necesidad de un tiempo de tranquilidad, o cuando te sientes abrumado en el trabajo, o cuando te ocupas de tus tareas domésticas. Es como discriminar a las personas por el color de su piel, su etnia o su origen nacional para castigarlas por poseer un sistema nervioso bien afinado. Al igual que otros grupos minoritarios, es crucial que nos propongamos informar a la población en general sobre nuestro vulnerable sistema nervioso, reconocer nuestra vulnerabilidad y encontrar formas de hacer frente a la sociedad no PAS en la corriente principal.

Aunque no hace falta que lo demuestres, lleva pancartas que digan "¡Fuerza de la sensibilidad!". Sería útil descubrir formas de aumentar tu autoestima (de todos modos, no podrías soportar la interrupción y la incomodidad de una presentación). Aumentarás tu autoestima leyendo literatura sobre las PAS, asistiendo a terapia individual o a grupos o talleres de PAS para apreciar la característica, y utilizando muchas de las ideas de este artículo. Desarrolla nuevas asociaciones con otras PAS y procura no pasar tiempo con personas no PSH que te juzguen y te hagan sentir falso. También es muy importante que no te equipares ni intentes competir con las que no son PAS.

Alta sensibilidad en las personas y comprensión

La alta sensibilidad es una capacidad innata para percibir lo que nos llega a las PSH de forma muy profunda y sutil a través de nuestros sentidos. No es que nuestros ojos y oídos sean más inteligentes, sino que descubrimos con más cautela lo que nos llega. Nos gusta estudiar, analizar y pensar. Ni siquiera somos conscientes de esa operación. Podemos ser conscientes de que pensamos o "rumiamos" o "nos preocupamos", según el estado de ánimo en el que nos encontremos y el problema con el que estemos lidiando, sin embargo, la mayoría de las veces, eso ocurre sin ser conscientes. Por lo tanto, somos muy intuitivos porque tendemos a saber cómo son las cosas y cómo se desarrollan, pero sin entender cómo hacemos todo eso.

También somos excelentes en el uso de señales sutiles para averiguar lo que ocurre con aquellos que no pueden comunicarse a través de las palabras: animales, insectos, niños, trozos de humanos inconscientes, enfermos (los cuerpos no usan palabras), extraños que intentan comunicarse con nosotros, personas históricas fallecidas hace tiempo (a partir de nuestra interpretación de sus biografías).

Las PAS también tienen estrechos vínculos con nuestro propio inconsciente, como lo demuestran nuestros vibrantes sueños. Las PAS crearán, a través de la exposición a nuestros deseos y condiciones corporales, no sólo una reverencia hacia el inconsciente, sino una sabia modestia con respecto a los motivos, comprendiendo cuánto de lo que hacemos es provocado por impulsos inconscientes.

Nuestra inclinación retrospectiva siempre nos permite ser más concienzudos, propensos a preocuparnos: "¿y si no hago esto?". O "¿y si lo hacen todos?". Mi investigación revela que estamos más preocupados por la justicia social y los riesgos medioambientales en relación con las personas menos sensibles (aunque quizás sea menos probable que seamos activos en el frente político, exigiendo cambios). También recibimos más satisfacción de las artes y de nuestra propia vida interior. Por tanto, tendemos a considerarnos morales, de modo que, por ejemplo, estamos de media más dispuestos a sentarnos junto a la cama de un desconocido que sufre para darle consuelo que los no PAS.

Lo malo es que si captamos todas las sutilezas que nos rodean, rápidamente nos distraeremos también con altos niveles de estímulos constantes y matizados. Es un paquete. En el mundo actual, nos sentimos rápidamente abrumados.

También somos más sensibles a las críticas; analizamos cuidadosamente todos los comentarios, incluidos los detalles sobre nuestros defectos. Gracias a los traumas, también nos angustiamos o nos ponemos nerviosos con mayor rapidez, y los experimentamos más profundamente.

Como consecuencia, podemos sentir menos optimismo y más miedo que los que no confían tan profundamente en las experiencias.

Por último, nuestra susceptibilidad va mucho más allá del procesamiento más fino de la información en el cerebro, ya que parece que somos más sensibles, por ejemplo, al alcohol, a la cafeína, al sol, al frío, a las texturas que pican o a otros irritantes, a los cambios en la cantidad de luz diurna, a las drogas y a los alérgenos que influyen en la piel y en los senos paranasales.

CAPÍTULO SIETE.
IMPORTANCIA DEL NIVEL
ÓPTIMO DE ESTIMULACIÓN

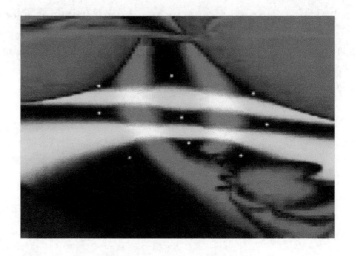

Nadie rinde bien ni se siente bien cuando está sobreexcitado o infraexcitado (me refiero a la excitación general, no a la física). Esto es válido para todas las especies, desde la concepción. Cuando están sobreestimulados por la incomodidad, la sed, el ruido o simplemente por un largo día, los bebés gritan. Y cuando el cansancio los desestimula, gritan.

A los adultos tampoco les gusta ser sobreestimulados: por el ruido, la confusión, la incomodidad, los plazos, la presión social, el terror, la rabia, la tristeza, o incluso el exceso de diversión, como cuando la gente de vacaciones no puede soportar ver una vista más, un restaurante o un museo. Además de estar física y psicológicamente ansiosos, la sobreexigencia puede hacer que la gente sienta que va a meter la pata: suspender un examen, cometer un error, tener un accidente. Todo el mundo tiene exceso de miedo. También todos temen el subyacente: estar ociosos, impacientes, sentados sin nada que hacer.

A ambas especies les gusta un nivel óptimo de entusiasmo, por lo que los humanos hacemos adaptaciones para vivir allí todo el día: encendemos la radio para aumentar el entusiasmo, nos echamos una siesta para disminuirlo, llamamos a un compañero para aumentarlo, apagamos la televisión para disminuirlo, etc. También lo hacemos a lo largo de intervalos más largos: cambiar de empleo para aumentarlo, evitar el divorcio para disminuirlo, viajar al extranjero para maximizarlo, ir a la nación para minimizarlo.

Para las PAS, la única distinción es que nos sobrevaloramos un poco más rápido que los demás. Esto significa que un escenario que excita óptimamente a otra persona es demasiado para nosotros. Sin embargo, para ellos lo que es bueno para nosotros puede ser aburrido. Si nuestra pareja que no es PAS quiere que esté encendida, nosotros queremos la radio apagada. Después de un largo día de exploración, queremos quedarnos en la habitación del hotel mientras nuestra pareja no PAS quiere conocer la vida nocturna. Puedes ver que existe una discordia potencial.

¿Ser sensible equivale a ser introvertido?

Sí y no. Carl Jung, un psiquiatra, describió la introversión como una tendencia a volverse hacia el interior, lejos de las cosas mundanas, y elegir los reinos abstractos para pensar profundamente. Éste es uno de los aspectos fundamentales de lo que entiendo por sensibilidad: su tendencia a centrarse intensamente en un acontecimiento, de modo que esta interpretación es casi más apreciada que el objeto original de la percepción, lo que proporciona un significado muy rico.

Pero cuando la mayoría de la gente habla de introversión, se refiere a la introversión social, a diferencia del encuentro con extraños o la socialización en grandes grupos.

Incluso los tests de tipología de Jung tienden a hacer el movimiento. El treinta por ciento de las PAS no son introvertidas, según este concepto (introversión social), y las medidas del mismo. De hecho, son extrovertidos. Así que me quedo con la suposición de que la característica subyacente no es la introversión, sino la apertura, tal y como la define la mayoría de la gente. Por lo tanto, las otras PAS socialmente extrovertidas no se han alejado en términos de un malentendido.

¿Por qué la introversión social casi describe la apertura pero no del todo? Supongo que el 70% de las PAS son socialmente introvertidas porque es una estrategia segura para reducir nuestro estrés y dedicar nuestro tiempo a hacer lo que mejor sabemos hacer: procesar cosas intensamente de forma individual o con un amigo íntimo, algo que normalmente no se puede hacer con personas ajenas o en grupos grandes.

Sin embargo, si las PAS crecen en una sociedad en la que son normales los grupos y los demás, se sienten cómodas e incluso tranquilas, y estas PAS son extrovertidas. Del mismo modo, si una

PAS creciera siendo disciplinada por ser introvertida o muy alabada por ser extrovertida, el tipo elegido, común y menos inseguro sería la extroversión. Y muchas PSH vuelven a ser extrovertidas. No nace de la introversión individual ni de la extroversión en sí.

CAPÍTULO OCHO. ENCONTRARTE A TI MISMO Y OLVIDARTE DE LOS ESTEREOTIPOS (CURACIÓN EMPÁTICA)

El objetivo de este capítulo es salvar y preservar tu amor, la persona a la que amas, tus sentimientos de amor en general, de las consecuencias de los dañinos estereotipos de género. Las suposiciones rígidas y los prejuicios de clase causan problemas a todos, pero son más difíciles para las PAS. Nos adaptamos menos a las suposiciones y luchamos más contra todos los impactos de los prejuicios. Como consecuencia, con el otro grupo podemos tener diferentes problemas: desconfianza, miedo al rechazo, malentendidos. Estos problemas deben tratarse en este libro antes de seguir avanzando.

Sin embargo, elegimos concentrarnos en la relación entre hombres y mujeres por razones obvias. Para la mayoría de los hombres, es aquí donde las diferencias de identidad asoman sus ojos más latentes y feos. Además, este tipo de relaciones entre personas del mismo sexo, que son los matrimonios más cercanos para algunos de vosotros, están igual de arraigados en una cultura en la que el género es la "gran división". Por lo tanto, con un pequeño cambio, todo lo que se dice aquí también puede ser beneficioso para las relaciones entre personas del mismo sexo.

Razones por las que las personas altamente sensibles se sienten incómodas entre otras personas

El reino animal se divide en machos y hembras, y las personas se dividen en hombres y mujeres, y este concepto ha generado una maraña de problemas y también algo de placer. Cada uno desea al otro y sueña con el otro, tanto por razones biológicas como por el disfrute, la salud y la anticipación de una relación a largo plazo. Sin embargo, a veces la misoginia se interpone en el camino de esa conexión.

Razones culturales

En nuestra sociedad, la mujer se siente obligada a ser sexualmente atractiva para los hombres para poder examinar este molesto problema. Ni que decir tiene que siempre se le aconseja que se apoye a sí misma y alcance sus propios objetivos. Sin embargo, atraer a un individuo sigue siendo un objetivo discreto. Cuando todo va bien, una mujer lo consigue, y los dos admiran su belleza, así como sus muchos éxitos, y aceptan los cambios en su imagen a medida que envejece. Pero a menudo el atractivo de una mujer joven le parece insignificante, atrae el tipo de atención equivocado, es su única moneda de cambio en el mundo o "se desvanece". Mientras tanto, las personas parecen ser abrumadoramente respetadas por sus éxitos y son capaces de encontrar mujeres en su existencia. Mientras que las mujeres se sienten injustamente tratadas, o no son víctimas con gran esfuerzo o se vuelven despectivas, o "masculinas". A través de todo esto, las mujeres cultivan la desconfianza consciente o inconsciente de los hombres.

Mientras tanto, un niño crece intentando actuar con control, para convertirse en un "hombre de verdad". Al mismo tiempo, espera paciente y sensiblemente a captar lo que parecen ser las manifestaciones desesperadamente vagas, indirectas y sin sentido de las necesidades de las mujeres. Lo que resulta ser muy diferente de su percepción del asunto. Se siente injustamente castigado por las consecuencias de una sociedad que no ha creado, y por el flagrante sexismo y abuso de algunos hombres.

En las PAS, los retos de cada clase se amplifican, en parte porque somos mucho más conscientes de las sutilezas que hay detrás de esos cuentos.

CAPÍTULO NUEVE.
EXTRAÑEZA BIOLÓGICA

Según la académica junguiana Polly Young-Eisendrath, nuestras diferencias básicas se remontan a las raíces de la desconfianza de cada género hacia el otro: los hombres nunca pueden ser mujeres, las mujeres tampoco pueden ser hombres. Cada uno es siempre un extraño para el otro, un "extraño". Durante la infancia, sabemos que los dos grupos son clubes exclusivos, y comienzan los rumores en nuestro propio club sobre lo que ocurre en el otro, rumores que, por supuesto, se ven agravados por el racismo de nuestra sociedad.

Cuando crecemos, tenemos nuestras propias imágenes específicas de los Otros que hemos llegado a odiar y amar. En palabras de Young-Eisendrath: "Pueden ser ángeles o demonios, seductores o célibes, pero tienen un enorme poder debido a su percepción de la disparidad. Como adolescentes,... colocamos una o más [de estas imágenes] en personas del sexo opuesto por diversas razones: para protegernos, para enamorarnos, para acusar a otro... Estas [imágenes] merodean por nuestras noches y nos capturan inadvertidamente durante el día. Con todas estas explicaciones para la ansiedad, la desconfianza y la anticipación, cuando estamos a solas con el otro grupo, podemos estar bastante nerviosos por lo que pueda pasar".

No sentirse como el "ideal" de hombre o mujer

También podemos influir mucho en nuestra tensión con el otro grupo al no pensar como el hombre o la mujer "ideal". No importa la realidad de que las PAS nacen tanto chicos como chicas: si eres un chico no deberías ser sensible. Claro que el "chico débil" tiene un nuevo interés, pero principalmente como fuente de bromas.

Puedes ser sensible cuando eres mujer, sobre todo a las necesidades y deseos de los demás. En realidad, habrías nacido receptiva en este sentido, más implicada en la interacción con los demás y en el perfeccionamiento de tu belleza, aunque en realidad seas profundamente introvertida o disfrutes más con tu trabajo que con la socialización o la atención. Por tanto, no serás tan reactiva como para necesitar un tiempo de inactividad. "Soy una mujer; soy fuerte". En resumen, las mujeres deseables son ambiciosas, ágiles y poderosas de una manera no PAS, en esta sociedad. Y en realidad, como ocurre con las personas, la capacidad de reacción está reñida con la imagen de la mujer en nuestra sociedad.

Comienza este sentimiento de que, en la infancia, no somos la definición de la virilidad o la feminidad. Los estudios han demostrado que las madres a veces identifican a una hija tímida como su hija favorita, lo que suele ser un término erróneo para referirse a una niña extremadamente receptiva. Sin embargo, este favoritismo tiene un precio: estas niñas suelen estar sobreprotegidas y tienden a sentirse aisladas y menos capaces que otros niños. Mientras tanto, las madres a veces definen a un hijo "tímido" como su menos favorito, queriendo a esos niños prácticamente menos. Ay. Ay. Puede que estas madres no tengan la intención de ser discriminatorias con sus propios hijos, pero están inconscientemente influenciadas por su sociedad para considerar que un chico tímido no es el ideal.

Si las madres sobreprotegen a los niños vulnerables, estas niñas crecen pensando que seguirán necesitando esa sobreprotección (la seguridad de un hombre) más adelante, y renunciarían gustosamente a su poder por ello. Las hijas sensibles, menos valoradas por sus madres, crecen queriendo que nos preocupemos menos porque pueden cubrir su vulnerabilidad en alguna parte. En resumen, las PAS de todos los géneros crecerán con un sentido de confianza y escepticismo como hombres y mujeres, lo que perjudica su capacidad, para ser honestos con el otro sexo.

CAPÍTULO DIEZ. ¿QUÉ TAN DIFERENTES SOMOS REALMENTE?

Tras revisar los datos de muchas encuestas distintas que realicé, no observé variaciones significativas en su rendimiento o felicidad en las relaciones entre las mujeres altamente sensibles (MAS) y las que no lo son, o entre los hombres altamente sensibles (HAS) y los que no lo son. Las posibles preocupaciones únicas que se abordarían no pretenden sugerir que, colectivamente, tengamos más problemas que los no PAS de nuestro género. Sin embargo, suponemos que los problemas que tienen son muy especiales.

Por suerte, una de las principales ventajas para las PAS que viven en nuestra sociedad de alta presión es que constantemente se da poder a los hombres y a las mujeres para que hagan lo que mejor saben hacer: lo que cuenta es quién hace el trabajo, no mantener intactos los estereotipos de género convencionales. Eso debería ofrecer más libertad a las PAS para expresar sus personalidades específicas. Sin embargo, como los humanos tienden a generalizar (como que los hombres son mejores en esto, las mujeres son mejores en aquello), podemos proponer la alternativa a medias de proporcionar cuatro géneros: MAS, HAS, no MAS, no HAS. ¡La estructura nos hace completamente especiales!

Cuatro géneros nos ofrecen el doble de formas de vida socialmente limitadas, el doble de igualdad y versatilidad.

Más en serio, seguiremos analizando por separado los retos de las MAS y de los HAS, pero recomendamos encarecidamente que se informen sobre cada una de ellas.

Las MAS y los HAS están admirablemente unidos. Y antes de que termine este capítulo, exploraremos formas de curar tanto a las HSM como a las HSW de los efectos de los prejuicios de género.

Cómo los prejuicios de género dañan las relaciones de las mujeres altamente sensibles (MAS)

Sensibles o no, las mujeres tienen más dificultades en la vida: las investigaciones sugieren que están más influenciadas por una infancia turbulenta, tienen una autoestima más pobre, tienen dificultades para dar la cara en la universidad y ganar poder, carecen de sus habilidades, son compensadas menos por el mismo trabajo, tienen muchas más probabilidades de permanecer en la pobreza en su edad avanzada, etc. Las explicaciones de esto son claras. Sí, el progreso se está produciendo y las heridas se están curando poco a poco, generación tras generación.

Una mujer menos sensible y con más experiencia femenina puede haber salido sola después de la universidad, o tras un par de años de este tipo de matrimonio, y haber estudiado cómo hacerlo por ensayo y error. Sin embargo, puede parecer desalentador para una MAS, una libertad instantánea y disputada. Además, toda la individualidad, la defensa, la rabia y las prácticas comunitarias fomentadas por el feminismo parecen personalmente peligrosas y, como PAS, necesitas detenerte y centrarte en los peligros antes de arriesgarte, sobre todo si careces de la ayuda de tu familia.

También es posible que te hayas visto más influenciada por la misoginia, ya que, como trabajadora de la salud, te ves obligada a asumir y analizar con más atención todas las señales despectivas que a menudo te llegan con respecto a las mujeres, ya sea en las palabras patriarcales, en el uso del cuerpo de las mujeres para comercializar bienes, en la atención desigual en la escuela o en la universidad, o en el intento de estar atenta para que no te agredan o parezca que estás dispuesta a que te agredan. Si por la otra discrepancia, la de la vulnerabilidad, siempre has aprendido a sentirte mal por ti misma, tienes dos motivos para sentirte menos que bien y amar, o no, al primer hombre ingenuo que se te acerque. El sexismo destruye la capacidad de atención, por decir algo obvio.

Tener un padre despectivo o ausente

Las PAS, tanto los hombres como las mujeres, están fuertemente influenciadas por el interés de nuestros padres en nuestro desarrollo. Esto tiene sentido porque los padres se han preocupado históricamente de salir a la calle y llevarla a la comunidad, bien o mal. Los padres también son los que dan ciertas habilidades para lograrlo. Y tres hurras por todos los que lo hicieron.

Los padres, sin embargo, parecen enseñar a las mujeres menos de esas habilidades. Un padre ausente e insensible no sólo no les dice cómo vivir en la sociedad, sino que la dureza de la PAS podría obligarla a centrar su vida en satisfacer y aplacar, algo que las PAS harían rápidamente de todos modos. Mientras tanto, la madre le da el ejemplo de que las mujeres no tienen más remedio que depender de personas como su padre.

Sin embargo, incluso los padres mejor intencionados siguen equivocándose al animar a sus delicadas hijas a escapar de los obstáculos. Tal vez mantengan la visión tradicional (patriarcal) de que las mujeres deben estar protegidas; llevar y criar a los hijos principalmente; ser más frágiles, frágiles y depender de los demás; y evitar que experimenten la vida y tal vez que se "aprovechen" sexualmente. Y puede parecerle a su padre que una hija vulnerable está especialmente indicada (o condenada) a depender de los hombres toda su vida. Un padre aconsejó una vez a su hijo, cuando era niño, que sería mejor que no asistiera a las clases de matemáticas de mi hermano: podrías ser tan brillante que nadie te querría. No informó demasiado a mi hermana, que era menos receptiva.

Como PAS, analizó a fondo tanto la orientación como la preocupación general por las mujeres marginadas.

En comparación con tu reacción sobre estar solo en el universo, tu padre ha definido esencialmente tus pensamientos hacia la gente en general y cómo crees que deberían sentirse hacia ti. Cuando tu padre no ha estado disponible, ha sido irrespetuoso o no se ha implicado en la enseñanza de tus habilidades, puedes concluir erróneamente que has sido poco atractiva o aburrida para él. Antes, si todavía te sentías débil por ser emocional, te influyó aún más.

Así, habías llegado a percibir a todas las personas como poco interesantes y poco atractivas.

Puedes sentirte nerviosa y agobiada en compañía de personas con la expectativa de que te rechacen. Puedes tender a cuestionar tu atractivo incluso en una relación de pareja, o incluso la valía de tu pareja (porque se siente atraída por ti, y tú no confías en ti misma).

Otro problema que puede surgir con los padres es que tanta atención sexual del tipo incorrecto puede persuadir a cualquier mujer, en particular a una MAS, de que su sexualidad es lo único que tiene que ofrecer al universo, y que no tiene ninguna opción de entregarla.

Victimización sexual

La violación, el incesto, el acoso sexual... hemos oído hablar tanto de ellos que estamos hartos, pero eso no quita el impacto que tienen en tu mente o en cómo te sientes con la gente. Una vez, las MAS pueden estar más atentas a los peligros potenciales (incluso más cuando nos hemos encontrado con un peligro de primera mano) y, en general, pueden sentirnos menos cómodas en el entorno.

Por lo tanto, nuestras vidas pueden estar fuertemente dominadas por la influencia del agresor masculino violento y del hombre potencialmente violento que hay dentro de cada tipo que conocemos: el aspecto de un hombre que creía, aunque lo negara, que tiene derecho al cuerpo de una mujer o que las mujeres "lo quieren de verdad, y cuando dicen no, quieren decir sí". Si se eliminan las consecuencias de cualquier agresión sexual real, que no es otra cosa que la destrucción del alma, una MAS puede encontrar que las relaciones sexuales de confianza y alegres con los hombres son casi imposibles sin mucho trabajo de curación.

Ir de un lado a otro con los hombres

Como MAS, creciste comprendiendo que gran parte de esta discriminación era interiorizada también por los hombres, y que ciertamente ganaban con la posición superior que se les concedía. Una de las respuestas era ganarse a la gente, engatusarla para que compartiera su influencia o sus recursos, haciendo que fueras sus sirvientes o sus compinches. Por otro lado, cuando sabías que te sacrificabas por una mínima parte de la riqueza que habrían compartido contigo todo el tiempo, sin duda seguías siendo desafiante. No querías que nadie creyera. Puede que también hayas

413

hablado de dominio hacia nosotros. Sin embargo, ustedes, como seres humanos, también tienen respeto hacia los hombres; nada de esto es necesariamente responsabilidad de ellos. De un lado a otro, ¿cómo deben sentirse ellos? Todo lo que concluyes parece ser falso, y sin embargo otras personas hacen lo mismo, lo que te hará desconfiar tanto de los hombres como de las mujeres.

No estás segura de actuar, ni siquiera de cómo vas a responder en ese momento, y menos aún de cómo va a funcionar, tienes más curiosidad por la gente (en el sentido no sexual), menos lucidez. Como PAS, todo el estrés y la anticipación te harán querer escapar completamente de los chicos. Pero el hecho de ignorarlos los convierte en un "tipo extraño" y potencialmente perjudicial para tu bienestar, por lo que en su presencia te vuelves más incómoda, tan prepotente.

CONCLUSIÓN

¡Gracias por leer este libro!

Fue sorprendente para hombres y mujeres. Las mujeres dicen: "Los hombres son unos brutos mezquinos y crueles", como si nunca hubieran sido personas así. Los hombres dicen: "Las mujeres son locas, codiciosas y controlan sólo a los hombres", como si los hombres nunca fueran así. Sólo hasta el momento en que nos odiemos, nos injuriemos y nos desterremos unos a otros. Ahora es el momento de comprender que en realidad estamos temiendo, vilipendiando y desterrando a la otra mitad de nosotros. Y las PAS deben ser capaces primero de ver este hecho. El asesoramiento o la psicoterapia pueden ayudar a la PAS a enfrentarse a las presiones de la vida en un entorno que no es de PAS y que es sobreestimulante. Puede que quieras acudir a un psicólogo profesional, a un especialista certificado en matrimonio y familia, o a un trabajador social cualificado. Si no puedes permitirte pagar las citas de terapia privada, casi todas las zonas tienen centros de rehabilitación de bajo coste (consulta la guía telefónica para encontrar el departamento de salud mental de tu ciudad o condado). También puedes participar en un programa de terapia de grupo positiva.

¿En qué se diferencian el tratamiento y la psicoterapia? Tal vez se hable de ellos como un espectro. Al final de la sesión, recibirás información, consejos y sugerencias para poner en práctica lo que has aprendido en este libro. No obstante, en la psicoterapia debes operar desde el extremo del continuo, tanto si tienes sentimientos insanos persistentes (depresión, miedo, ira) que entran en conflicto con tu existencia, como si no has podido someterte a los consejos del tratamiento.

Las PSH tienen un miedo especial a la intimidad, creo que somos mucho más propensos a desear la intimidad que los demás, por término medio, e impulsamos a los demás hacia ella, sobre todo si nos sentimos cómodos, ya sea "por obligación" o por una buena crianza.

Ya has dado un paso hacia tu mejora.

¡Mis mejores deseos!

Comprendiendo la autodisciplina

Guía completa para lograr una autodisciplina inquebrantable con los hábitos diarios importantes para la autodisciplina, autoestima y autoconfianza (Spanish Version)

INTRODUCCIÓN

Gracias por comprar este libro.

Es crucial que tengas paciencia cuando digas a la gente que haga ajustes cuando te sientas abrumado, y que no critiques a nadie que le guste la estimulación innecesaria.

También es útil tener una declaración preparada cuando pidas a alguien lo que necesitas. Para empezar, si pides a alguien que haga más ruido, intenta desarrollar una buena relación con la persona antes de llamarla o ponerse en contacto con ella para que haga menos ruido con tu pregunta. Al demostrar a la otra parte que tienes una reacción al ruido, dile a la persona que te gustaría asegurarte de que tu pregunta le hace feliz y no le incomoda. En este libro aprenderás:

- Que ser una persona muy sensible es una ventaja para usar como habilidad social.

- Que la alta sensibilidad es una capacidad que hay que defender para no ser víctima o para no ser abusado por gente mala.

- Que ser una persona muy sensible es una ventaja, no una vulnerabilidad.

- Que la empatía no es un defecto, es una ventaja.

Las PAS tienen una mayor sensación de dolor que las no PSH y muchas han indicado que, cuando se encuentran con un dolor físico, examinan instintivamente la causa del problema y tratan de aliviar el malestar. En general, las no PSH pueden soportar un dolor mayor. Un amigo no PAS me dijo que se había fracturado el pie, pero que había sido capaz de ignorar la agonía durante más de un mes, incluso mientras trabajaba como carpintero. El estoicismo de las PAS no funciona.

Hay que encontrar un equilibrio entre la generación de demasiados estímulos, que provocan ansiedad, y la de muy pocos estímulos, que provocan aburrimiento. Por ejemplo, si consideras que la presión del público es demasiado intensa en las salas de cine, puedes optar por ver una película en horas no punta (como las matinales de los días laborables). Siempre puedes alquilar una película, aunque algunas PAS han registrado intentos muy desalentadores de elegir una película tranquila en el ambiente a menudo agitado de la mayoría de los videoclubs. Antes de las prisas de la cena, también puedes ir a los restaurantes. La mayoría de los restaurantes tienen una oferta para madrugadores que te permitirá disfrutar de una cena más cómoda y más barata.

La alta sensibilidad es una capacidad innata para percibir lo que nos llega a las PAS de forma muy profunda y sutil a través de nuestros sentidos. No es que nuestros ojos y oídos sean más inteligentes, sino que descubrimos con más cautela lo que nos llega. Nos gusta estudiar, analizar, pensar. No necesariamente somos conscientes de ese procesamiento. Podemos ser conscientes de que pensamos (o "rumiamos" o "nos preocupamos", según el estado de ánimo en el que nos encontremos y el problema con el que estemos lidiando), sin embargo, la mayoría de las veces, eso ocurre sin ser conscientes. Por lo tanto, somos muy intuitivos porque tendemos a saber cómo son las cosas y cómo se desarrollan, pero sin entender cómo hacemos todo eso.

También somos excelentes en el uso de señales sutiles para averiguar lo que ocurre con aquellos que no pueden comunicarse a través de las palabras: animales, insectos, niños, trozos de humanos inconscientes, enfermos (los cuerpos no usan palabras), extraños que intentan comunicarse con nosotros, personas históricas fallecidas hace tiempo (a partir de nuestra interpretación de sus biografías). Las PAS también tienen estrechos vínculos con nuestro propio inconsciente, como demuestran nuestras vívidas visiones. Las PSH crearán, a través de la exposición a nuestros deseos y condiciones corporales, no sólo una reverencia hacia el inconsciente, sino una sabia modestia con respecto a los motivos, comprendiendo que gran parte de lo que la gente hace está provocado por impulsos inconscientes.

¡Disfruta de la lectura!

Capítulo uno. Cómo los prejuicios de género dañan las relaciones para los hombres altamente sensibles (HAS)

Entender los HAS es más complicado que aprender las MAS. Hay tantos hombres como mujeres que nacen altamente reactivos, pero en el autotest de las PAS, las mujeres adultas obtienen mejores resultados, por mucho que intente eliminar los productos basados en el sexo. Teniendo en cuenta nuestra sociedad, estoy seguro de que no hay forma de componer un autotest de reactividad al que los hombres puedan responder sin la intervención de un miedo consciente o inconsciente a ser tratados como poco masculinos. Y ahora me doy cuenta de que estoy escribiendo principalmente a personas que están lo suficientemente indemnes como para tolerar su vulnerabilidad sin volverse agresivas, o tan receptivas que no pueden negarla. En consecuencia, la mayoría de ustedes no se consideran "hombres típicos", lo que puede ser realmente positivo para sus parejas. Sin embargo, para el otro género y el suyo propio, sigue siendo la causa de muchos de sus problemas.

Sentirse como un hombre sin logros

"Es un hombre de verdad": de alguna manera tendrás que demostrar que lo eres, o tendrás serios problemas. Esa es la responsabilidad de las personas en esta sociedad, y gran parte de la ansiedad y la necesidad de demostrar surge en la infancia, donde el patriarcado determina más ampliamente las acciones del hombre perfecto. Un "hombre de verdad" sería robusto y tranquilo a esa edad, es decir, no tendría pensamientos profundos que no atraigan a la multitud. Puede ser imprevisible, no reactivo, pero también imprudentemente impulsivo. Debe ser intensamente competitivo y eficaz, sobre todo en los deportes de equipo. Puede ser extrovertido, es decir, ni siquiera personal, sin tener a los demás ni revelar alguna debilidad.

Nunca llora y rara vez muestra emociones, sobre todo no tiene terror, vergüenza o remordimientos. En resumen, no es realmente receptivo. Así que, según este razonamiento, un individuo muy reactivo no es un "hombre de verdad". William Pollack, psicólogo de Harvard y autor de *True Boys*, ha pasado veinte años en nuestra sociedad investigando a las personas. Señaló que los bebés varones suelen ser más expresivos en cuanto a sentimientos que las mujeres en el momento de la concepción. Pero el resto desaparece en la escuela secundaria, debido a la camisa de fuerza de género impuesta por lo que él llamó el Código del Niño. Los niños y los adultos, según la ley, no muestran sus emociones en primera instancia.

Este código limita no sólo a los chicos, "sino a todos los implicados, disminuyéndonos a todos como seres humanos y, en última instancia, haciéndonos extraños a nosotros mismos y a los demás". Spencer Koffman, psicoterapeuta de San Francisco y escritor de MAS para el

425

blog de PAS, *Zona de Confort*, explica su propio encuentro con el Código de los Niños: los niños son inscritos en el "campo de entrenamiento de género" a una edad temprana, en el que se les entrena para que sean niños de género. De primer grado viene una de mis primeras impresiones de este adoctrinamiento. Me caigo de los juegos. No estaba malherido, pero lloraba por el dolor del choque. La respuesta uniforme de todos los niños y profesores no fue consolarme, sino decirme que los niños no lloran.

Fue la primera y última vez que lloré en el colegio. Estaba en la escuela para convertirme en un "niño". No me gusta decir que sólo los HAS luchan contra el Código de los Niños, pero las MAS se enfrentan a él con mucha más fuerza. Te influyen especialmente tus relaciones con las mujeres, que llevan a casa los prejuicios de la sociedad de formas hirientes que parecen ignorar, como aceptarte como amigo pero no verte como atractivo sexual. Deberías seguir teniendo el mismo temor hacia el otro género, pero tu "timidez amorosa" tiene implicaciones más graves.

Huyendo del amor

La timidez amorosa es un concepto inventado por el sociólogo Brian Gilmartin, que ha investigado el limitado pero preocupante grupo de personas heterosexuales que se han puesto demasiado nerviosas para iniciar o casarse con una pareja sexual comprometida aunque lo desean profundamente. Cuando eres tímido en el amor sólo esperas ser descartado románticamente, sobre todo por tu vulnerabilidad.

Pero según esta descripción, la mayoría de los HAS no son tímidos por amor, sino que la mayoría de las personas realmente tímidas por amor son HAS. Y creo que la timidez amorosa crea una imagen intensa de lo que la mayoría de los HAS, en menor grado, temen o presencian.

Por ejemplo, la palabra también puede referirse a otros HAS, que anhelan y temen el afecto de los hombres tan intensamente como los tímidos por amor desean el amor de las mujeres.

Para cualquiera de los dos géneros, la timidez amorosa es un producto directo de la misoginia, que opera con una toxicidad única en las PAS, con nuestros motivos adicionales para evitar que nos traten como si no fuéramos un "hombre de verdad" o una "mujer de verdad". Sin embargo, la timidez amorosa es un problema más perjudicial para las PAS, ya que en cuestiones románticas, normalmente se espera que las personas den el primer paso en esta sociedad. Ahora es más apropiado que las mujeres muestren primero su preocupación, pero también se prevé que tú, como varón, reacciones entonces de forma agresiva y asumas responsabilidades. Una mujer puede retrasar y "hacerse la dura", pero a ti no se te concede ese margen de maniobra. ¿Y qué ocurre con tu clara inclinación inherente como HAS a detenerte para buscar antes de moverte, para ver si te gusta la chica con la que quedas y si le vas a gustar tú? El hecho de que tengas que saltar cuando te esfuerzas por tener una presencia varonil implica que tienes que superar tu propia rabia.

Si no puedes, te quedarás sin un amigo.

Gilmartin interrogó a 300 personas tímidas en el amor de entre 19 y 50 años, e incluso contrastó a los más jóvenes con los más mayores, todavía vírgenes a los 35 años. También se entrevistó con 200 universitarios que no se habían puesto nerviosos con el sexo. Las personas tímidas por el amor tienen una infancia mucho más desgraciada que las que no lo son, y más de los grupos de mayor edad que de los más jóvenes.

Sin embargo, la mayoría de las personas tímidas para el amor mencionaban a menudo las diversas sensibilidades físicas que deberían ser comunes a todas las PAS: alergias, una reacción rápida y extraña ante el pelaje, las picaduras de insectos, el clima excesivamente cálido o frío, los días más cortos de invierno, el sol inclemente, la incomodidad y los ruidos bruscos o irritantes, como el rechinar de la tiza en una pizarra.

La mezcla de infancia miserable y vulnerabilidad había producido su extrema timidez en el afecto.

El padre ausente y displicente revisado para los HAS

Sin duda, los chicos sensibles soportan mucho más la negligencia o la ignorancia de sus padres que los que no lo son. Los padres no sólo enseñan a los chicos a vivir en la comunidad, sino también a tratar eficazmente las emociones en esta sociedad como adultos. Un chico que nazca solo de su madre carecerá de este apoyo.

Se ha escrito sobre el impacto perjudicial de la falta de padres comprometidos en los jóvenes y la ausencia mucho mayor de compañeros varones, que a menudo luchan con los jóvenes, tratando de sujetarlos. Los mayores varones son tratados como traidores que, por ejemplo, envían a los jóvenes a guerras que no combatirán por sí mismos y se niegan a garantizar que a su regreso estos soldados sean honrados y curados. También puedes creer, como HAS, que no recibes más respeto de los adultos mayores, por ser capaz de ceñirte también al Código de los Niños. Puede que ni siquiera pienses que eres un miembro de la élite masculina que todos los demás admiran.

Las complejidades creadas por un niño sensible cuando simpatiza con su madre

Al ver el daño hecho por los hombres a las mujeres, y probablemente el daño hecho por tus propios padres, podrías haber sentido una profunda ruptura en tus lealtades, y una tremenda simpatía particularmente hacia tu propia madre. Podría haberse aplicado a todas las personas porque las percibías como maltratadas por tipos fuertes como tú. Sin embargo, obviamente esta compasión te alejará de tu propio grupo. En cierto modo, te sentirás un ladrón en las guerras de género y acabarás sin ser respetado por ninguna de las partes. Esta impresión puede verse reforzada al detectar ligeras señales de que tu madre podría haberte valorado como confidente o amigo, pero no como un "verdadero hombre". Recuerda los estudios, los hijos tímidos que se convierten en los menos preferidos de sus madres.

En definitiva, si tenías ese tipo de vínculo profundo con tus padres, sin duda te veías como un "hijo de mamá" en nuestra sociedad, lo que significa ser femenino, lo que significa ser pobre, inferior en nuestra sociedad. Sería sencillo, tal vez incluso sin quererlo, culpar tanto a la clase "pobre, de segunda categoría" a la que estabas sometida como a tu propia clase por sus agresiones hacia ti y hacia las mujeres. Estás atrapado en el mundo de un verdadero inútil. Entonces, ¿a quién conoces, a quién confías tus sentimientos más profundos? ¿A los hombres? ¿A las mujeres? ¿O quizás a nadie?

No querer ser llamado femenino

Aparte de construirse sutilmente como un amigo (que ni siquiera es un rasgo de las PAS), imagina que una PAS podría ser vista como femenina por parecer mostrar, como hacen otras mujeres, una alerta implícita intuitiva ante el riesgo de ataque físico, una precaución reforzada por la vulnerabilidad de todas las PAS a la incomodidad. Como señala Gilmartin, "la percepción del dolor puede tener un efecto increíblemente perjudicial sobre la disposición de un hombre a llevarse bien con su grupo de compañeros del mismo sexo de forma eficaz. Estas preocupaciones harán que un varón sea extremadamente susceptible de sufrir un acoso constante," es decir, hace que sea tan sencillo como que una mujer, especialmente una mujer delicada, acose".

O tal vez los HAS parezcan femeninos porque no regulan ni manipulan abiertamente a los demás, o porque parecen ser personas que muestran sus sentimientos, algo que no consiguen los que tienen que estar siempre al mando.

Tal vez porque pareces más triste o más nervioso que los demás. Las pruebas sugieren que las PAS con una infancia difícil pueden mostrar un estrés y una ansiedad más fuertes, como ya se ha dicho. Este hallazgo se atribuye, en parte, a la realidad de que las personas que no son PAS tienden a no ser afectadas por los problemas de la infancia. Las emociones resultantes las experimentan las mujeres y las PSH de infancia perturbada.

Puede que los que no son HAS sean excelentes en la gestión de las infancias difíciles porque la vida es más suave para ellos. Sin embargo, otros ni siquiera manejan bien el dolor, simplemente alejan sus emociones. Si la mentalidad "estoy bien, no necesito a nadie" se utiliza para encubrir un profundo sentimiento de inadecuación, se considera una protección egoísta y la utilizan mucho más los hombres que las mujeres, y mucho más las no HAS que las HAS. Además, las HAS y todas las mujeres (PAS o no) responden a sus problemas con pasados problemáticos en promedio.

Se sienten ofendidas, porque se las percibe como femeninas. Dentro de un hombre o una mujer, el problema de una protección narcisista es que, al apagar los sentimientos de ansiedad o deseo, hay que asegurarse de que dichos sentimientos permanezcan ignorados apagando también el conocimiento de las preocupaciones o necesidades de otra persona. En consecuencia, un narcisista puede manipular a los demás sin tener que considerar el impacto que tiene en los demás que utiliza, lo cual no es el tipo de persona que uno necesita en una relación de pareja cercana. Es casi como si a las personas con una infancia traumática se les ofreciera la peculiar opción de tener un narcisismo autoritario o no ser tratados como "verdaderos chicos". En realidad, prefiero menos narcisismo del que quieren otros HAS.

Capítulo dos. Daños adicionales a MAS y HAS por igual

Hay varios aspectos específicos en los que las diferencias de género crean problemas muy comunes en las trabajadoras del hogar y en las trabajadoras del hogar, vamos a explorarlos junto con todos los grupos.

Opciones excluidas

Las PAS que carecen de estímulo paterno en la infancia y de confianza en sí mismas en la edad adulta parecen ser excesivamente vigilantes, rechazando las perspectivas por un terror innecesario. Las PAS a veces se refugian en la primera profesión en la que se encuentran, o en una revolución política para la que no están preparadas, o más comúnmente, en un matrimonio precipitado. Cuando están dentro de sus puertos protegidos, aunque la condición no sea óptima, permanecen más tiempo en ellos. Las MAS parecen casarse antes que otras personas, a pesar de ser excepcionalmente seguras e imaginativas en el instituto o la universidad. Mientras que los HAS salen y alcanzan sus ambiciones profesionales más tarde de media que la mayoría de los hombres, lo que indica en parte su falta de tutoría sobre cómo salir al mundo con confianza como PAS.

Baja autoestima

Las investigaciones indican que las esposas suelen tener que enseñar a sus maridos habilidades de comunicación, y algunos maridos que aceptan este poder tienen relaciones más sanas. Sin embargo, adquirir poder requiere tener fe en uno mismo y en los privilegios y capacidades de su clase, algo que Diane había perdido.

Para los HSM, esta misma pérdida de confianza parece emanar de un incumplimiento del Código del Niño. Podrías haber abusado de él siendo tan imaginativo y "nuevo", riéndote o sonrojándote rápidamente, o no distrayéndote con cosas de "hombres duros": calor, frío, agua en los ojos, picor en la piel.

En comparación, tanto las MAS como los HAS pueden tener dificultades para ser "dulces", el peculiar ideal cultural. A menudo estamos sobrecargados de estímulos, y a veces nos mostramos incómodos y nos comportamos mal en entornos competitivos o de alta presión, incluso con una pareja romántica a la que sólo llegamos a conocer, en lugar de parecer agradables. Podemos experimentar síntomas relacionados con la ansiedad como consecuencia de todo el malestar y la baja autoestima: un "estómago nervioso", sarpullidos, fobias, tartamudeo, timidez. Una fe tan reducida y una sensación de ser mucho más atractiva.

Límites deficientes

Las PAS, ya sean hombres o mujeres, son más conscientes de lo que los demás saben, de lo que quieren y necesitan. Debido al intenso pensamiento intuitivo, seguirás intuyendo lo que va a pasar si las personas no tienen lo que necesitan: se esforzarán, no conseguirán lo que pretenden, se enfadarán contigo, se frustrarán contigo. Y al ser más sensible, siempre te molestará que suenen mal, mucho más que la mayoría. Por lo tanto, tanto por tu propio beneficio como por el de ellos, querrás dar a los demás lo que desean.

Nuestra comunidad también anima a las MAS, en particular, a respetar a los demás, como hijas, hermanos, maridos, compañeros. Y que de repente las leyes cambiaron. Recuerda que las mujeres pueden ser consideradas "codependientes" y entonces, como MAS, puedes abrazar otra excusa para sentirte avergonzada de tus inclinaciones naturales.

Para los HAS, el problema es que quieren que las "verdaderas personas" tengan límites demasiado estrictos, que presten poca atención a las necesidades de los demás, especialmente a sus necesidades emocionales. Al mismo tiempo, se supone que los hombres deben reaccionar especialmente a las necesidades de las mujeres, sobre todo a su necesidad de seguridad. Tal vez, esa sea la última paradoja. Tiene que tener éxito, por muy agotado que esté el propio hombre. ¿Pero de qué manera? Así que esta es otra situación en la que, como un HAS que sólo quiere ser tú mismo, puedes ser sospechoso no sólo de ser codependiente sino también de ser femenino porque estás atento a las necesidades emocionales de ciertas personas. Si se puede sospechar que permites que una mujer te manipule, si son las necesidades emocionales de una persona las que atiendes. Si no, se te ve como que "no estás a la altura" de satisfacer completamente todos los deseos de una mujer, todavía. Y si te cierras por completo debido a la sobrecarga y la confrontación, ¡se te trata como si no fueras inteligente!

Ser especialmente sensible a los deseos emocionales de los demás, incluso los de tu familia, no es codependencia. La codependencia se produce cuando respondes a las necesidades del otro de forma equivocada. Sobre todo en el sentido original del término, nunca se te considerará "codependiente" por reconocer que tu compañero es un adicto que requiere tratamiento, sino porque se niega a atenderlo.

Sin embargo, para algunos de ustedes, hay algo en esta palabra codependiente que es válido, y ser extremadamente reactivo les permite construir límites fuertes, límites que permiten en lo que es útil y cerrar lo que no es. Lo que no es útil requiere que los deseos de los demás reaccionen ante ti de la manera que les gusta, en lugar de hacerlo de forma beneficiosa para todos.

Sin embargo, cuando has sido motivado y entrenado para crear límites fuertes, en realidad son cualquier cosa. No estás sobrecargado de trabajo.

Se aprovechan de tu ego. Siempre dices que sí y luego te arrepientes. Si te pasas al otro extremo (de vez en cuando, aunque casi siempre) levantando barreras que dejan fuera a cualquiera y a todos. Por último, dejas que los demás te convenzan de que eres frágil, poco asertivo y codependiente (o bien grosero, estricto y arrogante) en lugar de elegir por ti mismo qué tipo de individuo eres o qué reglas quieres. En resumen, todos ustedes explotan su sensibilidad para impresionar a la gente muy a menudo al intentar ser un hombre o una mujer "de verdad", o se van al otro extremo y abrazan la creencia de que son vulnerables, hasta que cierran su sensibilidad.

La persona altamente sensible que está en riesgo

Siendo Superman o Superwoman, las PAS compensan el hecho de no ser el hombre o la mujer "ideal". Y todas las empresas con las que operan lo disfrutan.

440

En primer lugar, teniendo en cuenta las "mega MAS", todos nos damos cuenta de que la mujer "ideal" exhibe una gran agudeza en estos días. Tan fácil es para todos los demás.

Algunas personas siguen trabajando muchas horas, posiblemente viajando con sus empresas, amando el éxito, haciendo frente a presiones como los soldados, y encajando también la vida familiar. Funcionará perfectamente para las mujeres insensibles y ávidas de sensaciones. Ya es hora de que compartan sus temperamentos abiertamente. Se acabaron las costuras y los vestidos largos.

Sin embargo, todavía hay varias MAS que luchan por satisfacer esas demandas. Podrías tener la inteligencia, la fe, las habilidades y las capacidades necesarias.

Puede que sigas siendo fuerte en la búsqueda de sensaciones: fácilmente distraído, lleno de ideas.

Y entonces, siempre eres el pionero brillante en la organización, trabajando el camino hacia la cima, como una PAS también. El cielo. Un cielo. Parece que tienes la flexibilidad y la resistencia que ellos desean. Sin embargo, al intentar encajar con este estándar de género actual de Superwoman, estás socavando lo que eres y poniendo en riesgo tu seguridad.

Los HAS podrían correr mucho más riesgo de pretender ser "Super HAS", ya que los hombres son mucho menos valorados en los puestos de trabajo rápidos que las mujeres si muestran el deseo de ocio personal o de pasar más tiempo con sus cónyuges y familias. Por lo tanto, también es más probable que te sientas motivado a demostrar que puedes trabajar para cualquiera para demostrar tu hombría y resolver tu invulnerabilidad de "debilidad oculta". Así que seguro que se te ocurren nuevas ideas usando tu creatividad tan creativa.

Para todo lo que no sea trabajo, te queda poca motivación y a veces te quejas en secreto de que la vida es una miseria, que no vale la pena vivirla. También con tu amigo, es bastante infernal, tanto si tienes espacio para conseguirlo como si tu compañero está igualmente motivado, en cuyo caso la asociación no es gran cosa. Pero tienes miedo de que revelar tu cansancio sea una muestra de inseguridad y baja motivación que se difunda pronto y te haga perder potencialmente tu trabajo, y probablemente la confianza de tu mujer, familiares o amigos, o eso es lo que imaginas. Creo que normalmente tu bienestar te impide llegar a los cuarenta años. Adherirse a los estándares binarios de género puede ser desastroso.

Capítulo tres. Padres buenos que se sienten malos

Cuando busqué por primera vez información sobre "*responsive*" o "sensibilidad" en la literatura de psicología, sólo encontré tres ejemplos, y dos de ellos afirmaban que *responsive* era el único término para identificar a las que son mejores en el cuidado de los niños. Esta habilidad no tiene nada que ver con el hecho de que una sea realmente una mamá, sino que tiene más que ver con la habilidad para descifrar las señales ocultas de un niño junto con la comprensión de la experiencia y el desamparo de un bebé. No es de extrañar que, después de que las MAS y los HAS se curen del nacimiento de sus hijos, como se ha visto (cada uno responde con fuerza), se conviertan normalmente en padres con una gran sensibilidad. Puede que algunos no reconozcan su potencial, pero la mayoría sigue sintonizando inconscientemente con ciertos padres.

Al mismo tiempo, las PAS pueden tener una clara sensación de ser malos padres. Sabes lo que pienso porque eres un adulto extremadamente reactivo. A veces estás irritable, ansioso, pierdes la motivación, necesitas casarte, intentas compartir tus muchas habilidades o sueñas tranquilamente con lo fácil que será la vida sin hijos. La paternidad es una enorme obligación y una fuente de estímulos. Es indescriptiblemente doloroso para ambos padres estar alerta durante el embarazo y el parto, en el mejor y en el peor de los sentidos, sobre todo en el primero. Su cuerpo y su presencia interior se sienten completamente alterados. Mucho de esto se multiplica después de la concepción, porque tu hijo te necesita desesperadamente y duerme muy poco. Te cuestionas si realmente vas a vivir. A menudo te preocupa si has tomado la decisión correcta de tener un hijo. Seguro que te cuestionas si eres una madre o un padre de éxito a menudo, o incluso a veces.

De hecho, un padre consciente suele sentirse excluido en los primeros pasos, humillado y angustiado por ello, pero a menudo profundamente afectado. Así pues, la paternidad conlleva una carga adicional: no sólo aspira a ser un enfermero tan excelente especialista en niños, sino que también trataría con considerable severidad la tarea de proteger y mantener económicamente a sus hijos, por mucho que su mujer le apoye.

Mientras tanto, ¿qué pasa con la madre de tus hijos por tu propio deseo de intimidad y privacidad?

Los roles de género convencionales, ahora presentes entre ambos, han vuelto a dañar las asociaciones con las PAS, esta vez como tutores. Esta vez las suposiciones se refieren a la madre o al padre perfectos, una expectativa que nadie debería cumplir, pero ninguna PAS en particular. En las no PAS, los sentimientos de inadecuación ocurren principalmente en los sueños característicos de los nuevos padres, pero en las PAS los sentimientos parecen ser similares y más angustiosos para la conciencia. Me da miedo pensar en las miles de

PAS que se han sentido mal por su profundo conocimiento del Gran Padre y del Padre Terrible escondido tan cerca en su interior.

¿Dónde entra la búsqueda de sensaciones?

Antes de pasar a los enfoques de estos retos, pensemos por un momento en el impacto de la desigualdad de género en las PAS que buscan sensaciones. La búsqueda de sensaciones en esta sociedad es obviamente una parte de la personalidad perfecta. Tendrás un poco más de confianza si eres una fuerte buscadora de sensaciones (FBS), siendo más parecida al hombre o la mujer perfecta. Esto es especialmente cierto en el caso de los hombres, que deben estar preparados para la aventura.

Ser un HSS también ayudará a un HAS con timidez amorosa en particular, animándole a dar el primer paso y consiguiendo la variada interacción sexual que se espera de los hombres antes de sentar la cabeza.

El inconveniente, por supuesto, es que el FBS/FSP es aún más propenso a intentar ser un superhombre o una supermujer, al estar impulsado tanto por los poderes externos como por estas características temperamentales internas contrastadas. La mano vulnerable no recibe ayuda hasta que el paciente aprueba una enfermedad. Una precaución importante: No es menos probable que experimentes fatiga y malestar como FBS/PAS. No te dejes seducir por intentar rellenar un estereotipo de género que no se ajusta a ti, por muy cerca que estés por ser una FBS.

Trabajar en los problemas de género

Ahora has sido guiado a través de algunos lugares oscuros. Ahora vamos a pensar en cómo poner más empeño en esto. Al igual que muchas de las consecuencias del patriarcado siguen siendo sorprendentemente las mismas para las MAS y las MAS, también lo son las estrategias para recuperarse, dadas las generalizaciones que suelen gustar a nuestra sociedad, como "Si las mujeres se sienten mal quieren hablar de ello, pero cuando los hombres se sienten mal quieren meterse en sus cuevas y trabajar en proyectos". O, "Cuando las mujeres tienen problemas sólo quieren que se les hable, sin embargo, los hombres quieren compartir y encontrar soluciones".

Todos debemos compartir nuestros sentimientos y buscar soluciones a los problemas, incluidos los relacionados con el género. Sin embargo, seguimos haciendo las generalidades y les ofrecemos un poco de su propia vida. Esto ayuda a conocer la verdad y, cuando se quiera, se pueden enmendar las generalizaciones. Para empezar, las investigaciones demuestran con perfecta coherencia que las personas son más felices en las relaciones cuando los hombres y las mujeres actúan de la forma que históricamente se consideraba "femenina" en el pasado, es decir, seca, compasiva, emocionalmente receptiva y feliz de abordar la relación.

Como afirmaba mi amigo anónimo, lo que se denomina "femenino" es en realidad "humano normal". Por suerte, esto es también lo que hace la mayoría de la gente, en contra de las expectativas. Recientes estudios grabados en vídeo de recién casados descubrieron que, al menos, estos hombres y mujeres no eran en absoluto incoherentes en cuanto a lo mucho que se querían o se ayudaban mutuamente. Y el tipo de ayuda que se prestaban los hombres y las mujeres, simpatía y motivación y sugerencias, no era diferente. Hasta aquí ese tipo de estereotipos.

Las PAS, aún menos adaptadas a estas generalizaciones, están en condiciones de ignorarlas más fácilmente, lo que hace más difícil el cambio para todos los que ya actúan de la manera antigua. Somos los fundadores, transformando la cultura de una forma muy necesaria.

Las investigaciones demuestran que las personas que, por término medio, se adhieren a los estereotipos masculinos y femeninos convencionales son las que tienen un matrimonio menos feliz y están menos dispuestas a recibir asesoramiento matrimonial. Una gran parte de esta inquietante práctica es que el "macho manda". Hay pruebas fehacientes de que ambas partes están menos satisfechas con esas relaciones y tienen más probabilidades de acabar divorciándose.

Otra parte de la "supremacía masculina" de una relación es que el hombre rechaza todas las exigencias de una mujer que pueda alterar. ¿Cómo afecta la relación de pareja al "patrón de exigencia/retirada"? El retraimiento se produce cada vez que una persona intenta hablar libre o abiertamente, como por ejemplo, expresar un deseo de mejora, y la otra no se comunica, se aparta físicamente o se apaga mentalmente. La verdad es que, aunque ambos géneros lo hacen, los matrimonios están profundamente tensos, divididos y probablemente acaben, sobre todo porque las mujeres reclaman y los hombres retiran.

Christopher Heavey, Christopher Layne y Andrew Christensen, de la UCLA, grabaron en vídeo a parejas casadas en dos conversaciones para investigar la tendencia de demanda/retirada: una sobre algo que la mujer quería que el marido hiciera mejor, y otra sobre algo que el marido quería que la mujer hiciera de otra manera. Los problemas típicos eran "salir más conmigo" o "dejarme algo de espacio para mí". Los investigadores comprobaron que no había demanda/retirada durante la conversación cuando ésta versaba sobre un cambio que el marido quería dentro de la mujer. Pero en las conversaciones los hombres sí rechazaban lo que la mujer quería que el marido cambiara: los hombres se negaban a cambiar. El argumento de estos dos casos es que las parejas tradicionales de predominio masculino no son ciertamente indicativas de relaciones exitosas. Pero las HAS que no se sienten cómodas desestimando las emociones de los demás no podrían seguir el camino correcto. El único molde que la gente debería intentar encajar a largo plazo, sea cual sea su edad, es el que hace que sus parejas sean satisfactorias y personales.

451

Entonces, ¿qué puedes hacer para curarte del impacto de la discriminación por estereotipos y género? Bien, sólo algunas sugerencias

1. Trabaja tu autoestima débil. Reencuadra el sentimiento de ser inadecuado porque eres una mujer más una PAS, o porque no eres un "hombre de verdad" porque eres una PAS.

2. Desarrolla las normas. Los límites sanos son versátiles, no dejando que el exterior en cualquier apelación, ni el bloqueo de todo el mundo si usted no puede confiar en ellos o no es fresco para cuidar.

El discernimiento es la clave aquí: todos los que se acercan a ti son especiales, no sólo un hombre o una mujer o incluso una PAS o una no PAS, sino una persona que se acerca a ti en un momento en el que podrías o no ser capaz de responder.

3 Elimina las suposiciones con la conciencia real de los hombres y las mujeres. La única forma de reducir la extrañeza del otro género es escuchar a los miembros de ese grupo de élite y ver cómo son realmente.

Una vez que conozcas sus problemas, podrás empatizar cambiando la actitud de desconfianza por la de empatía. Incluso tú podrías ser capaz de ayudar. Para empezar, los HSM pueden esforzarse por dar a los MAS la confianza de que pueden ser eficaces en el mundo, y los MAS pueden velar por sus propias suposiciones respecto a las "personas ideales" y negarse a acatar cualquier punto de vista tradicional que, por ejemplo, sea poco atractivo para un hombre que a veces llora o toma decisiones largas y deliberadas.

4. Para divertirte, céntrate en tu timidez amorosa prometiendo ver a alguien cada semana. Esta es una función en las asociaciones, no de trabajo interno, tendrás que salir y hacerlo. Sin embargo, a lo largo del camino, sé amable contigo mismo. Como hemos visto, tanto los HASV como las MAS tienen motivos para anticiparse a la negación.

A continuación, determina si te has escudado deliberadamente en el rechazo, mirando o comportándote de forma que te pone totalmente fuera de la carrera, permitiendo que te pasen completamente por alto como cita potencial. "Nada ha entrado, nada ha sido destruido". He visto a muchas PAS haciendo esto.

En primer lugar, ayuda practicar un poco, decidir lo que vas a decir antes de ver a alguien, y luego qué más vas a decir si el otro parece positivo, pesimista o difícil de leer. Las PAS podemos parecer más relajadas si ensayamos un poco, ya que nos quita los chillidos en el discurso y el temblor de las manos. También tendrás que prepararte para los eventuales rechazos, y para el dolor de tener que dejar asociaciones que han resultado ser errores.

5. Confronta tus opiniones sobre los HAS y la homosexualidad. En esta sociedad, ser "femenino" y ser homosexual están terriblemente mal entendidos. Entre el cinco y el diez por ciento de las personas son homosexuales, pero aunque no tengo ninguna prueba al respecto, estoy bastante seguro de que no hay ninguna correlación con ser un HAS. En un capítulo sobre ser "especial" en *Real Boys*, Pollack afirma que muchas personas "duras" resultan ser homosexuales y que muchos chicos apacibles que disfrutan de juegos pacíficos en lugar de juegos bruscos o deportes de contacto resultan ser heterosexuales. Para mí, los hombres homosexuales han hecho la misma observación: la comunidad gay está tan llena de machos como de hombres sensibles, y es un completo error suponer que un HAS es

homosexual. Si la gente se da por aludida y dice lo malo, combate eso cuando pueda. "Gay, ¿eh? Realmente me gustaría serlo, me gustan mucho los hombres. "O," Esa es una idea extraña , me pregunto por qué te pareció que lo era."

6. Identifica qué te lleva a buscar ser tan bueno, a dejar de ser un superhombre, una supermujer o un superpadre. ¿Estás compensando tu "defecto"? ¿Intentando complacer a todo el mundo? ¿Te niegas a admitir que tienes límites? ¿Demasiado entusiasmado con todas las posibilidades de renunciar a uno de ellos? Una vez que hayas aceptado la raíz de esta iniciativa, te resultará más fácil ignorar una existencia que te resulta demasiado abrumadora.

La nueva actitud puede implicar el desarrollo de nuevas vocaciones o nuevas formas de orientación, centradas en el objetivo de obtener la mejor calidad de trabajo o de crianza, más que en la cantidad de tiempo que se necesita. Es probable que tu nuevo enfoque alinee el autocuidado con otros cuidados para maximizar ambos.

(Es posible que hagas más por la comunidad a través de un modelo de conducta que a través de tu trabajo real). La meditación es una forma eficaz de lograr el equilibrio. Cuando mi hijo tenía unos tres años, empecé a meditar (Meditación Trascendental, en mi caso). Sólo veinte minutos en mi interior, especialmente por la noche, marcaron la diferencia. La hora de la cena se convirtió en un momento de relajación pacífica tras una experiencia angustiosa, con una madre y un hijo compasivos que se superaban mutuamente en su estilo de sobrecarga.

La meditación también ayuda mucho a la función. Todos hemos visto cómo a menudo las ideas surgen sólo después de un tiempo alejado del problema.

Te sorprenderá ver cómo tienes más ganas de ser feliz o de disfrutar después de estar un tiempo sin hacer nada.

7. Encuentre a su formador con perspectiva de género. William Pollack y otros educadores se centraron en la tutoría de los jóvenes. Los chicos aprenderán más estando con personas más allá de sus familias, hombres que compartan sus intereses particulares, para contarles más sobre cómo estar en el universo. Así, un chico vulnerable al que le gusta leer hasta el fútbol, por ejemplo, podría ser

tutelado por un escritor o un profesor de inglés que le expusiera las alegrías de ser un hombre de letras, y que pudiera compartir historias de sus penas como jugador menos entusiasta. Pero la tutoría puede ayudar a todos, especialmente a los que tienen PAS. Y considera en tu carrera a un hombre o mujer compasivo o a alguien que haya superado tu situación actual y pregunta si puedes reunirte y compartir experiencias y hacer preguntas. (Pero para que una PAS acepte, tendrás que asegurarte de que no vas a ser demasiado exigente: pide sólo una reunión para empezar. Cuando un posible tutor diga que no, busque otro).

8. Asegúrate de los que te odian. He llegado a pensar que en el universo hay algunos lugares donde la discriminación de género y de temperamento es muy gruesa y fuerte, como creo que ocurre en algunas partes del ejército. Hay otros lugares en los que es tan pequeña que apenas existe, como en el caso de mi propio amigo, que ama a las mujeres y ama mucho el tipo de mujer que soy, una MAS. Me imaginé que es absolutamente esencial protegerme de las zonas oscuras tanto como sea posible.

Dado que las muestras manifiestas de parcialidad no son muy aceptables hoy en día, pueden ser difíciles de detectar. Conozca a suficientes hombres y mujeres para poder clasificarlos adecuadamente, ya que muchos de ellos hacen esfuerzos casi admirables por evitar la discriminación, aunque a veces se equivoquen. ¿Qué más se puede esperar si quieren superar sus prejuicios? No elegimos más que tú nacer en una cultura patriarcal.

9. Cuidado con las cuatro razas, y luego pasen por alto. Anteriormente en este capítulo actual, se mencionó que habría más espacio para que los HAS y las MAS seamos quienes somos, al obtener fotos de cuatro géneros, no de dos. Como se describió anteriormente, parece que todos los animales se supone que tienen dos razas: sensibles y no. Por lo menos, tanto como su etnia debe ser de interés para su especie. Tómate un minuto para pensar en tus ejemplos favoritos de PAS, MAS, no-PAS y no-PAS (admitiendo que no aprendemos de lejos, con seguridad, quiénes son PAS y quiénes no). Para mí, los "verdaderos" MAS son los presidentes de los Estados Unidos George Washington, Abraham Lincoln y Jimmy Carter, junto con el aspirante Robert F. Kennedy y el productor Ingmar Bergman, los autores

Rainer Maria Rilke, Robinson Jeffers y Stephen Spender, y el médico Carl Jung, sólo para empezar. Entre las MAS se encuentran la visionaria Teresa de Ávila, la primera dama estadounidense Eleanor Roosevelt, la poeta Emily Dickinson, la escultora Camille Claudel, las escritoras Jane Austen y las hermanas Brontë, y la arqueóloga Marija Gimbutas (que ha realizado el trabajo científico definitivo sobre las civilizaciones de la diosa).

Todos somos capaces de proporcionar listas igualmente estimadas de "verdaderos" no-HSM y HAS. Tus pioneras, celebridades, aventureras o miembros de países o campañas favoritas probablemente no eran HMS y todas las sufragistas y progresistas que lucharon con ahínco, incluidas muchas de las primeras mujeres médicas, profesoras y científicas, probablemente no eran HMS.

En cambio, cuando estés preparado para salir completamente de los estereotipos de género, considera esto: Un hombre o una mujer perfectos son lo que cada hombre o mujer es cuando actúan con autenticidad, en armonía con su verdadero yo y su personalidad. La identidad no es un concepto más verdadero que tú.

10. Utiliza tus sueños para sanar las heridas de tus géneros. También propongo que las PAS se familiaricen con sus visiones, imaginamos muy bien y estamos bien adaptados a la introducción de los deseos de visión personal profunda. Hay tres métodos para utilizar los sueños para curar las heridas de los géneros: En primer lugar, presta atención al sexo de cada persona soñada. Siempre encierra un mensaje acerca de su actual disposición de género o de los valores que esa clase refleja para usted. En general, si sueñas con alguien de tu mismo sexo, las características de esa persona son similares a las tuyas, fáciles de integrar o recordar. Por ejemplo, cuando sueñas con cierta mujer amiga tuya que es muy extrovertida, sabes que es un sueño de tu yo extrovertido, al que no es muy complicado llegar. Por otro lado, cuando piensas en el otro tipo, suele representar cualidades que tal vez nunca tengas, o que no creas. Así, cuando sueñas con cierto amigo tuyo de sexo masculino que demuestra una asertividad, resistencia y poder únicos, puedes darte cuenta de que sueñas con el tipo de fuerza que deseas tener o necesitas en tu vida actualmente, pero que sientes que nunca podrás manejar como mujer.

En segundo lugar, utiliza el papel de la figura del sueño para ayudar a identificar lo descontrolado que estás. Supón, por ejemplo, que tú y un amigo han intentado resolver algún problema y esa noche sueñas que ahogas a una mujer joven y delgada. Tanto si eres hombre como mujer, tal vez quieras repasar la conversación de la noche para ver si algún aspecto femenino de ti se distrajo, fue arrastrado por la borda, se ahogó o se sumergió en el inconsciente mientras pensaba, en el sentido tradicional o como tú lo entiendes específicamente. Por cierto, un mejor tratamiento de tus propias secciones de género debería traducirse en un mejor tratamiento de las personas de ese género.

En segundo lugar, imagina tus fantasías sobre diferentes resultados que cambiarán tu amistad con el otro género. Con esta estrategia, no impulsas un final concreto para una visión o sueñas despierto, sino que vuelves a un sueño con la intención de permitir que ocurra algo más en tu mente, que en primera instancia generó el sueño.

En tu mente, tu mayor propósito es emprender también alguna acción. Este enfoque provocará avances útiles en el género.

En el caso de la señora que se hunde, podrías meterte con ella en el agua e intentar rescatarla. Dígale que si llegó a hundirse si puede ser rescatada. Si tuviste algo que ver, quizás quieras disculparte y hablar con ella. Si fue otra persona la que provocó que casi se ahogara, puedes continuar preguntándote si esa persona podría constituir una parte de ti. Y si ella quería suicidarse, necesitaba una ayuda seria de tu parte: ¿por qué querría que le quitaran su futuro? Si las fuerzas naturales la arrastraron, puedes encontrar formas de protegerla en el futuro, y lo que esas fuerzas podrían simbolizar en tu vida de vigilia.

Es importante, en la imaginación activa, que no hagas ninguna pregunta ni evalúes lo que te llega. Al igual que una visión, la mente valorará la imaginación activa como una palabra valiosa. Por muy angustiosa que pueda parecer inicialmente una imagen, el propósito es que sigas aprendiendo más. El propósito final es amable.

Capítulo cuatro. Calmar los sentidos y hacer frente a la presión

Para vivir en nuestro entorno sobreestimulado, aplicaremos constantemente estrategias para relajar los cinco sentidos: el oído, el tacto, la vista, el gusto y el olfato. Aunque no podemos funcionar sin molestias, podemos utilizar herramientas específicas para la sobreestimulación de cada uno de nuestros sentidos.

Calmar los sentidos

La generación entera enganchada a la sobreestimulación de los órganos sensoriales ya se ha criado. Como muestra de la mayor sobreestimulación de nuestra era moderna, he oído que varios parques de atracciones están desarrollando experiencias de sobrecarga sensorial total. Las actuales atracciones en 4D ofrecen una experiencia visual frenética, asientos de teatro de bucle y hasta la introducción de aromas inusuales. Puede haber una relación entre los estímulos elevados y el mayor número de niños identificados con trastornos de hiperactividad.

La última panacea para los jóvenes hiperactivos, por desgracia, es medicarlos con potentes fármacos que pueden provocar un sinfín de efectos secundarios. Sin embargo, si estos mismos niños vivieran sin dispositivos electrónicos en un mundo natural, muchos de los niños "hiperactivos" no necesitarían ser medicados.

Capítulo cinco. Audición

La audición es, potencialmente, el contexto que más dificultades

proporciona a la PAS. Cuando te encuentras con algo que desencadena un dolor desagradable, debes cerrar los ojos. Sin embargo, afinar los sonidos nocivos es aún más difícil. Con la aparición de los teléfonos móviles, a menudo omnipresentes, que suenan por todas partes, la música ruidosa que sale de potentes altavoces y los bocinazos de los coches furiosos, el pobre individuo parece estar atrapado en una cacofonía clamorosa.

El impacto combinado de estos ruidos chirriantes desencadenará una severa ansiedad de la PAS.

Es posible que quieras poner música relajante de fondo, en casa y en el trabajo, para bloquear los ruidos de la nueva vida urbana. Desde la música clásica hasta el blues, escucha cualquier tipo de música que te calme. Si no quieres escuchar música suave de fondo, puedes comprar una máquina de ruido blanco que te ayude a bloquear los sonidos bonitos produciendo un ritmo constante y calmante. Los sonidos fuertes e intermitentes suelen cubrirse con el zumbido de un ventilador calmante, un aire acondicionado o un purificador de aire. Un purificador de aire calmará la ansiedad mientras filtra los contaminantes del aire en el interior.

Siempre que te alojes en un motel u hotel, encender el aire acondicionado o el ventilador reducirá el ruido de distracción de la zona. Si no quieres depender del ventilador o del aire acondicionado, también puedes llevar contigo una pequeña máquina de ruido blanco mientras vuelas. También puedes escuchar a diario una cinta o CD de meditación calmante o dirigida, que es muy útil para relajar los nervios. La mayoría de las librerías ofrecen DVDs y CDs relajantes, o para más información, llevar unos auriculares mientras te aventuras en el ajetreado entorno es realmente conveniente. Conviene que lleves una serie de cintas tranquilizadoras que incluyan terapia controlada, música clásica y otros efectos espirituales. Asegúrate de llevar pilas adicionales para no perderte en un vórtice de caos sísmico sin remedio.

Usar tapones para los oídos es otro método eficaz que los tapones para los oídos o el aumento del ruido. Muchas PAS pueden considerar incómodo el uso de tapones para los oídos, así que, si puedes soportar los tapones, enmascarar los sonidos que te distraen es una forma muy acertada. Algunas personas prefieren los tapones de cera, mientras que otras se sienten más relajadas con los de silicona. También puedes usar auriculares tipo orejera, que los trabajadores de la construcción utilizan en circunstancias extremadamente ruidosas.

Estos auriculares protegen todo el oído y algunas PAS los consideran menos invasivos que añadir tapones. También hay auriculares con cancelación de ruido que suprimen los sonidos externos manipulando las ondas sonoras. Aunque estos auriculares que disminuyen los ruidos de las frecuencias altas, como los de los aviones o los frigoríficos, no parecen disminuir los ruidos del habla, más al estilo de las orejeras. Un audiólogo puede adaptarte un par de tapones personalizados. Estos tapones específicamente diseñados tienen la ventaja de que pueden introducirse cómodamente en el canal auditivo. En realidad, deberías cerrar los ojos y meditar sobre el uso de un tapón para los oídos, de unos auriculares normales o de unos auriculares tipo orejera cada vez que quieras esconderte del entorno saturado de estímulos. También puedes utilizar tapones para los oídos cuando escuches los auriculares en condiciones especialmente ruidosas, o utilizar unos auriculares tipo orejera sobre los tapones.

¿Has utilizado alguna vez una instalación para grabar? Si la puerta del estudio está cerrada, no podrás detectar ninguna perturbación desde el exterior. Hay ingenieros de sonido que te ayudarán a construir un cielo PAS de armonía y tranquilidad, insonorizando tu casa o tu lugar de trabajo. Puedes comprar ventanas de doble panel o cortinas gruesas para bloquear los sonidos del exterior. Más concretamente, la

PAS seguirá siendo diligente a la hora de buscar lugares pacíficos para alojarse y funcionar. Si vives en un barrio ruidoso, es mejor que tu casa o lugar de trabajo dé a un patio trasero oscuro en lugar de a una calle concurrida. Cuando viajes en avión, pide a menudo al empleado del hotel o motel un espacio privado en la parte trasera del primer piso. No te avergüences de las tácticas mencionadas en este segmento, como utilizar tapones públicos o exigir un espacio privado en el hotel. Tu objetivo principal es construir deliberadamente la armonía interior para ti.

Vista

El propósito de las personas que meditan con los ojos cerrados es mantener las distracciones alejadas del entorno exterior, lo que les permite profundizar en la calma latente en su interior. Al experimentar continuamente una estimulación innecesaria a través de las pupilas, abrumas directamente a tu sistema nervioso, lo que puede generar un miedo que te incomoda. En lugar de mirar constantemente a la televisión o a la pantalla del ordenador, que puede sobreestimular el sistema nervioso, considera una idea reveladora: una pausa para cerrar los ojos de la meditación. Tómate sólo unos minutos para cerrar los ojos y observar tu respiración cuando estés sentado en casa o en el trabajo, o simplemente en tu coche de aparcamiento. Esta minivacación te dejará más relajado y preparado para tolerar mejor los estímulos.

Para las PAS es profundamente tranquilizador poder contemplar a través de una ventana una vista impresionante de la naturaleza. Haz pausas diarias durante el día para limitarte a reflexionar sobre el magnífico roble de tu patio trasero, la hierba verde oscura del césped delantero o el cristalino cielo azul que te cubre. Cuando marques la fuerza espiritual de la naturaleza, tu nivel de miedo disminuirá y tu nivel de felicidad aumentará. Deberías comprar grandes fotografías o pósters de entornos naturales si tu entorno de vida o de trabajo está contaminado con estímulos industriales no naturales. Al mirar una foto amplia de una montaña o un océano, te sentirás mucho más fuerte. Puedes comprar papel pintado con una impresionante escena de bosque que te hará sentir que vives en la naturaleza. Llena tu casa y tu lugar de trabajo de plantas y flores para crear un ambiente sano y acogedor.

Procura cada día invertir algo de tiempo en la naturaleza, ya sea caminando o sentado en silencio. Intenta permanecer concentrado en ese momento mientras reflexionas sobre la gloriosa colección de flores exuberantes o la cornucopia de nubes de algodón de azúcar que se reflejan en la superficie brillante de un estanque.

Puede que no lo sepas explícitamente, pero ciertos colores son más sedantes que otros. Rodéate de colores relajantes como el marrón, el gris, el verde y otros colores suaves. Para el sistema nervioso, los tonos del hogar y del lugar de trabajo serán calmantes. Los tonos brillantes como el naranja, el amarillo y el rojo sobreestimularán, agitando efectivamente a la PAS. El rojo está vinculado a la rabia, y se ejemplifica de forma muy apropiada con la frase "ver rojo". Un día, en un vehículo rojo brillante, vestido con una deslumbrante chaqueta roja, con los labios pintados de rojo fuego y con los ojos de color naranja ardiente, vi a un cliente mío llegar a mi despacho. Siempre tenía que ponerme las gafas de sol y sonreírle. La clienta me dijo que no entendía por qué estaba frustrada y sudando todo el tiempo debajo de la camisa. Si se hubiera fijado en el color de su cuello, habría sabido qué la hacía sentirse tan enfadada. Puedes sentirte atraído por las cosas que pueden descontrolarte mucho más mientras estás fuera de tu alcance, así que rodéate de colores calmantes para establecer la paz en tu vida.

La mayoría de las PAS son sensibles a la luz. He comprobado que tengo numerosas peticiones de cerrar las persianas mientras doy clase a mis alumnos diurnos, ya que la fuerte luz del sol puede ser muy molesta. Es posible que las PAS no tengan que permanecer en un espacio a oscuras, pero cambiar la iluminación es crucial para que no le sobreestimule. En lugar de fluorescentes, podrías considerar la posibilidad de utilizar una iluminación de amplio espectro para minimizar las molestias. Es inteligente llevar siempre un par de gafas de sol, porque puede que te cueste pasar de la luz interior oscura al sol inclemente.

Es más seguro para la PAS no someterse a la luz brillante a altas horas de la noche, porque no sólo puede entrar en conflicto con el hecho de conciliar el sueño, sino que también puede provocar un estímulo excesivo en el sistema nervioso. Sin embargo, introducirse en la luz por la mañana después de despertarse es útil, y hace que los neurotransmisores del cerebro sepan que ha empezado un nuevo día. Incluso una mínima cantidad de luz que parpadee por la noche bajo la puerta del dormitorio interrumpirá el sueño de un individuo sensible. También debes cepillar un botón en la parte inferior del marco, y cerrar todos los demás huecos. Además, puedes comprar unas cortinas gruesas para bloquear la luz cegadora de las farolas o de la luna llena. Deberías comprar una máscara para los ojos que pueda bloquear la luz innecesaria. Estos antifaces también te ayudarán a calmarte durante el día, así como a tener un sueño nocturno decente.

Tacto

Recibir una relajación tranquilizadora es una de las formas más fuertes en que una PAS (o una no PAS) puede calmar la ansiedad. Por ello, muchas personas susceptibles pueden considerar que un masaje es demasiado intrusivo. Por ello, es importante que le des al masajista sugerencias periódicas sobre el grado de incomodidad que le produce la relajación. Independientemente de la transparencia de la PAS, las energías del masajista se consumirán rápidamente, así que asegúrate de consultar al profesional antes de comprometerte con un masaje.

Dado que algunas PAS pueden no sentirse relajadas al ser abordadas por extraños, pueden beneficiarse más de que un compañero o un buen amigo les de un masaje.

Para recibir tu tratamiento, puede que ni siquiera tengas que ir a un salón de belleza o a un centro de cuidado corporal. Muchos comercios también contratan a masajistas, por ejemplo, los especializados en artículos de fitness. De vez en cuando necesitas tomarte un descanso de diez minutos para recibir un masaje en la espalda y los hombros. Puedes tomar una clase de masaje con tu amiga e intercambiar masajes si no puedes permitirte masajes diarios. Otra gran opción es relajarte y aliviar la tensión del día a primera hora de la tarde.

El único aceite que empapa las siete capas de tejido y calma intensamente el sistema nervioso es el aceite de sésamo orgánico y húmedo. El aceite de sésamo se utiliza habitualmente en el Ayurveda, el antiguo método de curación de la India. Según el Ayurveda, los compuestos de ciertos aceites pueden tener un efecto refrescante o calentador en las personas. Como el aceite de sésamo es el que más calienta, no lo utilices en un día caluroso de verano o cuando te sientas acalorado. Considera la posibilidad de masajearte con el aceite de coco calmante mientras esté húmedo en el exterior. No compres el aceite de sésamo de cocción china tostado o acabarás oliendo como un wok (lo que también podría ponerte de los nervios). En la tienda de productos naturales más cercana puedes comprar semillas de sésamo ecológicas.

Calienta de tres a cuatro onzas del aceite y frótate suavemente y sin pausa todo el cuerpo, desde la cabeza hasta los pies. Deja que el aceite dure unos diez minutos en tu cuerpo, y luego aclara. No te pongas el aceite en la planta de los pies o podrías caerte. Si no quieres hacer un masaje en todo el cuerpo, basta con poner un poco de aceite de sésamo húmedo suavemente en la frente y las orejas. También deberías comprar aceite de sésamo formulado con hierbas calmantes para una verdadera curación profunda (entra a www.oilbath.com para aceites medicinales). A lo largo de la noche, añade el aceite de sésamo medicinal a tu frente y orejas y observa cómo se libera la ansiedad.

El agua caliente para el cuerpo es realmente curativa y calmante.

Tomar un baño caliente puede ser un hermoso placer relajante, sobre todo si se le añaden un par de gotas de aceite esencial de lavanda. Incluir algunos aceites naturales sedantes para el sistema nervioso puede ser profundamente calmante. Otra forma eficaz de relajar el cuerpo inmediatamente es tumbarse en una bañera caliente con los chorros rociando agua caliente sobre los músculos estresados durante sólo diez minutos. También puedes comprar un masaje en la ducha y divertirte de pie bajo el agua calmante.

Asegúrate de tener un buen sillón en el que puedas sentarte en casa y en el trabajo.

Algunas tiendas venden cojines para el masaje que hacen juego con tu silla. También puedes comprar una varita de estimulación inalámbrica portátil. Muchas personas experimentan problemas de espalda por intentar tumbarse en una cama demasiado cómoda o demasiado pesada. Asegúrate de que tu cama se adapta a tu fisiología particular y de que tus músculos están cómodos toda la noche.

El tacto en sí mismo es más bien curativo. Las pruebas demuestran que los niños impactados están más seguros mental y físicamente que los bebés privados de contacto. Asegúrate de recibir muchos besos cada día. Leo Busgalia, el difunto líder espiritual, solía aconsejar a sus oyentes que todo el mundo quiere al menos cinco abrazos al día. ¿Has cumplido hoy tu objetivo de darte un festín de abrazos?

Ammachi, líder espiritual de la India, es reconocida internacionalmente como la mártir del abrazo. Recorre el mundo saludando a miles de desconocidos cada día y ha besado a más de veinte millones de personas. La gente hace cola durante horas para conseguir un abrazo de Amma, porque es tan relajante el amor puro de su presencia.

"Ammachi es el símbolo de la verdadera devoción, y cura su existencia", según Deepak Chopra. Nos elevamos inmediatamente al ser abrazados y nutridos por alguien desde una posición de afecto incondicional.

Tanto si no te gusta que te aprieten de cerca como si sólo te besan suavemente, no te apetece que te abracen. Como las PAS se sobresaltan rápidamente, informa a tu familia, allegados y conocidos de que con un abrazo repentino no quieres que alguien te sobresalte.

Una PAS informó de que cuando su mujer le sobresalta abrazándole por detrás mientras lava los platos le molesta mucho.

Capítulo seis. Olfato

La mayoría de las PAS son propensas a los olores. Varios de mis

alumnos de la PAS también indicaron que tienen náuseas si están

cerca de alguien que lleva perfume. Si eres propenso a ciertas formas

de olores sintéticos y te encuentras sentado en un avión o en un teatro

junto a alguien que lleva perfume, lo más seguro es que cambies de

asiento al instante. La conexión entre la susceptibilidad química y el

hecho de tener una PAS puede producirse potencialmente.

Cuando experimentas una respuesta de olor desagradable, debes asegurarte de que la residencia está a salvo de cualquier gas nocivo. A menudo, es necesario no trabajar en una instalación impregnada de olores tóxicos. Hay muchos artículos de limpieza naturales disponibles en la tienda de alimentos ecológicos más cercana que los conserjes del lugar de trabajo pueden recomendar utilizar. Comprar un purificador de aire mitigará las emisiones en el interior y saneará el ambiente. A veces, puede bloquear los sonidos ruidosos.

A pesar del aumento del ruido, muchas personas en general utilizan mascarillas para evitar la inhalación de olores tóxicos y nocivos. Cuando quieras usar una mascarilla, asegúrate de elegir un producto de buena calidad. Para las zonas tóxicas, mucha gente utiliza mascarillas. Para empezar, cuando recorrí las principales ciudades de la India y México, llevé una máscara y, aunque algunos residentes locales podrían haber asumido que tenía un aspecto extraño, me protegí de los olores nocivos que se inhalaban.

Una de las ventajas de que las PAS tengan un fuerte sentido del olfato es que pueden utilizar esta sensación para ayudar a calmar el sistema nervioso. La aromaterapia es un tipo de medicina herbaria que consiste en la inhalación de aceites esenciales derivados de plantas y hierbas. Muchos aceites esenciales que tienen un aroma suave, como el de lavanda o el de rosa, pueden tener éxito contra la tensión. Las grandes tiendas de productos sanitarios te enseñarán a utilizar estos aromas. Sin embargo, aunque la aromaterapia puede ser una forma ideal de relajar el sistema nervioso, puede provocar una reacción adversa a ciertas PAS. Es posible que quieras comprobar la técnica antes de salir a comprar un recipiente de popurrí y aceites esenciales, echando una rápida ojeada a los aceites para decidir si es un buen tratamiento para ti.

Si puede manejar los aromas, puede utilizar lavanda, jazmín y rosa, que cambiarán las ondas del cerebro para establecer la relajación y el descanso. Muchas organizaciones están optando por utilizar la aromaterapia, ya que la dirección se ha dado cuenta de que las fragancias relajantes permiten a los trabajadores funcionar con mayor eficacia durante el día. También puede fumar algún incienso de sándalo o rosa, que puede tener un impacto calmante en el sistema nervioso. También es recomendable comprar una almohada con hierbas calmantes, que favorecen la relajación al inhalar mientras se duerme.

Asegúrate de que la ventilación es saludable en casa y en la universidad. Revisa periódicamente los filtros de tu aire acondicionado, sistemas de calefacción y purificadores de aire. Si vives en una calle tranquila, puedes desbloquear las ventanas para liberar los olores antiguos.

Comer y beber

Todas las PAS son propensas a la comida y las bebidas, ya sean frías o calientes. En general, es más fácil consumir bebidas y alimentos suaves que los que se secan.

Comer alimentos calientes relajará el sistema nervioso según el mecanismo de curación del Ayurveda (Lad 1984). Durante muchos años tuve un alumno que padecía una ansiedad extrema. Indicó que durante el tiempo en que sentía una ansiedad elevada había seguido una dieta de alimentos crudos. Encontramos una conexión entre su miedo y su dieta seca y cruda cuando investigamos su estado. Unos meses después, reveló que cuando empezó a consumir alimentos húmedos y cocinados, su nivel de ansiedad había disminuido significativamente.

Otra PAS declaró que se sentía muy incómoda en invierno cuando decidió desayunar sólo fruta. Se sintió más tranquilo y equilibrado cuando recurrió a los cereales calientes. Es posible que quieras dejar de consumir agua helada, porque el frío puede suponer un choque para el sistema nervioso y disminuir la energía digestiva. Cada vez que vayas a un restaurante a comer, deberías pedir bebidas sin hielo. Beber agua helada aumentará la ansiedad y el nerviosismo en un día frío de invierno.

Sin embargo, es seguro beber agua helada en verano si te sientes acalorado y decides refrescarte, siempre que no tengas una reacción adversa (como un dolor de cabeza). Otra forma de refrescar el cuerpo es beber agua vertida con un poco de zumo de lima. Ocasionalmente, puedes tener dificultades para consumir productos congelados, como el helado. Los productos congelados también provocan alucinaciones en las personas sensibles, así que es mejor dejar que el alimento congelado se derrita gradualmente en la boca.

Beber un poco de leche caliente será un relajante perfecto para ti. Para limpiar tu sistema de toxinas es importante beber mucha agua pura a diario.

Beber una taza de té de hierbas relajante, como la manzanilla, calmará el sistema nervioso. En una tienda de productos naturales, considera la posibilidad de comprar manzanilla fresca y deja que las hierbas se cuezan a fuego lento en agua hirviendo durante cinco minutos, y luego cuélalas. Esta libación de hierbas es más eficaz que una simple bolsa de té de manzanilla. Reducir el consumo de cafeína, como el café, el té negro y las bebidas no alcohólicas, puede reducir la ansiedad. Muchos de mis alumnos han conseguido aumentar gradualmente su consumo de cafeína mediante un proceso sistemático. Considero la posibilidad de añadir un poco más de leche o leche de soja en su café al día, de forma que su taza de café sea sólo un 25 por ciento de café y un 75 por ciento de leche en un mes. La reducción de la cafeína hará que te sientas más relajado durante todo el día.

Aunque ciertas personas consideran que el alcohol es calmante, algunas que son especialmente susceptibles pueden experimentar una reacción adversa a una sola bebida alcohólica. Además, si crees que tomar un vaso de vino en la cena "no es gran cosa", es crucial que aprendas las respuestas del cuerpo al alcohol y que te limites a seguir a la multitud.

Lo positivo es que tu sentido del gusto te ofrece un potencial increíble para comer realmente alimentos sabrosos. La ventaja de tener una PAS es que las papilas gustativas alerta te ayudarán a averiguar si una comida está rancia, y no debes consumir alimentos contaminados. Una PAS tiene tan buen sentido del gusto que también fue empleada como catadora de vinos. Tal vez le den una rebanada de chocolate en el trabajo. Para algunos hombres, poseer un buen sentido del gusto puede llamarse un trabajo así es una ventaja.

Intenta hacer un minirretiro dos veces en una semana

Como eres sensible a los estímulos y te distraes rápidamente, es crucial que te tomes unas minivacaciones al menos dos veces por semana para permitirte un descanso. Experimentar la armonía interior y la alegría es tu derecho de nacimiento. Así que asegúrate de reservar claramente un tiempo para relajarte. Un día de la semana, y un par de horas el fin de semana, deberías reservarlo para cultivarte. Puede que inmediatamente te parezca un privilegio dedicar cuatro horas a la semana a relajar el sistema nervioso, pero para el individuo extremadamente reactivo, es una obligación, en mi opinión. No te lo pensarías dos veces antes de ir al médico a diario para proteger tu seguridad si tuvieras una rutina de cuidados médicos específicos, como la diálisis. Del mismo modo, el minirretiro es importante para que las PAS trabajen en este entorno sobreestimulado. Alimentarás tu cuerpo, tus sentimientos y tu espíritu durante tu minirretiro.

Informa a tus familiares o compañeros de que, aunque no te distraigas, necesitas un tiempo a solas. Cuando eso no sea factible en casa, intenta localizar algún lugar para que te cuiden. ¿Tendrás algún vecino, hermano o compañero de trabajo que, a lo largo de la semana, pueda cederte su casa durante unas horas? Probablemente podrías aceptar alimentar, limpiar o cuidar las plantas y los animales domésticos de tu "dueño del retiro" como intercambio.

La primera fase para construir tu minirretiro es apagar todos los teléfonos y otros dispositivos electrónicos y asegurarte de que no te interrumpe ningún estímulo externo, incluidos los miembros de tu hogar. Si es imposible mantener un entorno silencioso, crea una atmósfera sin ruidos poniendo algunas canciones relajantes, colocando una máquina de ruido blanco o utilizando tapones para los oídos. Ahora es el momento de relajarte en la cama o en el sofá y leer el libro que nunca consigues que te eleve el espíritu.

Cuando suenes cansado al leer, échate una siesta relajante sin vergüenza. Coloca algunos aceites esenciales relajantes en un cuenco de popurrí o quema algún incienso si te gusta la aromaterapia. Prepara una taza de té de manzanilla, o tu cóctel relajante favorito, si tienes hambre. Prepara un tentempié nutritivo especial (preferiblemente sin azúcar), e invierte algo de tiempo en disfrutar de verdad de cada delicioso bocado que disfrutes. Intenta cerrar la cabeza y concentrarte en el exquisito sabor de tu lengua.

En primer lugar, busca un ejercicio que te eleve espiritualmente, como el hatha yoga o el tai chi. quizá quieras comprar un DVD o una cinta de vídeo de yoga o tai chi. Otra opción es hacer algo de relajación suave o dar un paseo por la naturaleza. Tal vez quieras participar en alguna de las siguientes actividades después de hacer algún ejercicio suave: meditar, escuchar una pista tranquilizadora, hacer un masaje incremental, rezar, leer alguna elevación espiritual o componer algún blog.

Por último, puede que te guste frotar el cuerpo con aceite de sésamo caliente y seguir con un buen baño. Aplica lo que quieras, desde aceite de lavanda hasta sales de Epsom, en el lavado. Dedica todo el tiempo que quieras a relajarte y a bañarte. No debes establecer una rutina estricta que obedecer, sino entregarte intuitivamente a las distintas estrategias de relajación mencionadas anteriormente para asentar el sistema nervioso. Puedes optar por dedicar todo el tiempo a una sola cosa durante tu minirretiro.

Te mereces experimentar minirretiros diarios, así que las fechas de tu agenda para tus sesiones de lactancia empiezan a marcarse ahora mismo. Sin embargo, consúltalo contigo misma para que no empieces a frustrar tu calendario por otro asunto. Siempre considero la posibilidad de hacer los retiros una o dos veces al año durante más tiempo, días enteros o fines de semana. Deberías pasar algún tiempo en una cabaña en el bosque o en algún lugar donde puedas experimentar unos días de auténtica tranquilidad.

Cómo afrontar la presión basada en el tiempo

Para una PAS, lo normal es que las cosas le resulten difíciles mientras esté sometida a la presión del tiempo. Combinado con un fuerte sentido del deber, una de las facetas más desalentadoras de convertirse en una persona altamente reactiva puede ser trabajar con límites de tiempo. En este segmento, aprenderás estrategias prácticas para afrontar con éxito los retos cotidianos de nuestra acelerada sociedad moderna.

Capítulo siete. Creando un entorno de trabajo pacífico

Vivir con limitaciones de tiempo con un jefe desconsiderado o con jefes hostiles es frustrante para las personas receptivas. Más del 95% de las PAS encuestadas han afirmado que la tensión en el trabajo influye en su bienestar físico o mental.

El estrés laboral, sus costes públicos y personales

Independientemente de tu sensibilidad y de tu capacidad para desempeñar las responsabilidades en el trabajo, puedes encontrarte con una frenética multitarea, realizando arduas actividades, que culminen en un agotamiento físico y emocional. También en circunstancias menos estresantes, la tensión surgirá de la capacidad de estar atento y no cometer errores. Para la PAS, sentirse incapaz de estar a la altura de las expectativas laborales de las personas que no son PSH, del tipo A, puede causar decepción, ansiedad y baja autoestima.

Si operas para una fuerza de trabajo amigable, ciertas situaciones laborales difíciles pueden cambiar. Existe un vínculo entre la satisfacción profesional y las experiencias sociales laborales satisfactorias. La despersonalización en el trabajo es una causa importante de tensión e infelicidad en el trabajo. La ausencia de interacción personal real en el trabajo (a menudo estamos más inclinados a enviar un fax al individuo del cubículo de al lado que a levantarnos y hablar con él) conduce a una sensación de anomia en el lugar de trabajo.

Cuando haces un trabajo que sabes que es importante, la satisfacción laboral puede mejorar. Para empezar, una vez que puedas apreciar cómo la sociedad se beneficia de tu trabajo, te sentirás más entusiasmado con tu vocación.

Sólo las PAS pueden abrazar la creencia de nuestra cultura materialista de que ganar más dinero, incluso a costa de tu bienestar físico, mental y espiritual, merece la pena. Una vez satisfechas tus necesidades esenciales, también es posible que a menudo te presiones para obtener más y más ingresos, suponiendo que la remuneración exterior te ofrecerá satisfacción interior. Las investigaciones sugieren que, si se satisfacen las necesidades esenciales, hay poca relación entre la alegría de vivir y la disminución de los ingresos (Dalai Lama 2003).

A las PAS les gusta descansar mucho, y pueden considerar que hacer una semana de cuarenta horas es difícil. Lamentablemente, muchas ocupaciones americanas necesitan horas extra para los trabajadores.

Muchos estadounidenses trabajan varias semanas más que los franceses y los alemanes, respectivamente, cada año. Las PAS deben elaborar su propio plan de trabajo especial, o enfrentarse a quedar envueltas en un escenario laboral agotador, a pesar de esta ética laboral americana desequilibrada.

Actitud personal ante el trabajo

La actitud es un elemento importante en la satisfacción laboral. Desarrollarás un mayor respeto por tu carrera cuando veas tu trabajo desde un punto de vista global. Los trabajadores de las naciones desarrolladas e incluso los de nuestro propio país realizarán un duro trabajo físico por una fracción de tu salario durante más de diez horas al día. Muchos desempleados saltarán ante la oportunidad de trabajar en tu profesión. De repente, la tarea de ser "aburrido" puede parecer mucho más fascinante.

Cuando estés insatisfecho con tu trabajo, indaga en el origen de tu descontento. ¿Fue a causa de las injustas exigencias del jefe insensible?

¿Le faltas el respeto a tus compañeros todo el día? ¿Y tu descontento no es feliz con ciertas facetas de tu vida, a causa de un patrón interno? En general, llevamos nuestros valores y comportamientos al trabajo y nuestra carrera representa nuestra existencia.

En otro lugar, el subconsciente sigue creyendo que la hierba es más verde, y el ego se nutre de la tensión para conservar una imagen distinta.

Mi padre fue uno de los únicos hombres que conocí que disfrutaba plenamente de su trabajo. Trabajó como educador social en el barrio, dirigiendo organizaciones judías locales durante más de 50 años. Consiguió trabajar como mentor y supervisar a los alumnos de educación social hasta finales de los 80 años. Su pasión y su actitud positiva fueron dos factores principales que generaron su alto nivel de satisfacción laboral. Y, obviamente, era un tipo optimista y enérgico más allá de la oficina, que llevaba la mentalidad al trabajo cada día. Otro aspecto que generó su entusiasmo por su carrera fue su gran interés por apoyar a otros necesitados, como los discapacitados, los refugiados y las personas con dificultades físicas y emocionales. En una misión que buscaba un significado particular, sirvió en Europa para reconstruir la comunidad judía que quedó casi devastada por el holocausto.

Además, una tarea aburrida se vuelve gratificante y agradable cuando cultivas una buena mentalidad y colaboras con otras personas que te ayudan. Derrick, un hombre soltero de poco más de veinte años, trabaja en una fábrica que exporta suministros médicos a países asiáticos. Se dio cuenta de que clasificar solo el material médico era tan tedioso que en la primera semana dejaba el trabajo. Sin embargo, durante su segunda semana, se asignó a un compañero de trabajo lleno de energía, que se dio cuenta de cómo cada pieza de equipo puede ayudar a la recuperación de un discapacitado. La otra persona hizo comentarios mientras escuchaban canciones que les habían suscitado. Toda la perspectiva de Derrick cambió, y siguió amando tanto su profesión que varias veces hizo felizmente horas extras.

Aunque hacer frente a las intensas obligaciones laborales es más difícil para una persona que no es PAS, si adquiere las habilidades de reconocimiento y entrega, puede simplificar su rendimiento en el trabajo. En una ocasión, un contratista de correos estaba agotado todos los días al procesar cartas cuando el director general de una gran empresa dijo que su trabajo no era difícil en absoluto. Aunque no se hiciera una misión, al director general no le importaba. Una estudiante de la PAS dijo que si pensaba que había cometido un error en la universidad, se enfadaba muchísimo. Había agonizado durante horas por el posible fallo.

Poco a poco empezó a comprender, tras interactuar con ella durante muchas semanas, que lo único que conseguía era su fuerza. Con el tiempo, dejó de lado el deseo de completar todas las tareas.

Siempre aprendí en la primera consulta, cuando era especialista en recuperación de carreras que trataba con empleados discapacitados, qué personas acabarían rehabilitándose en un nuevo lugar de trabajo. Los clientes que criticaban a su jefe por sus servicios de recuperación y se preocupaban por su proveedor de seguros también creaban barreras. Cuando los participantes tenían una buena perspectiva hacia la terapia profesional y reconocían sus discapacidades sin centrarse en sus lesiones, solían recibir una investigación fresca y gratificante.

Cuanto más fuerte sea el deseo de resolver los retos en el trabajo, mayor será la probabilidad de una experiencia laboral satisfactoria. De entrada, tu satisfacción laboral mejora porque te esfuerzas por reforzar tus interacciones con la gente en el trabajo. Pero si pones mucho empeño en cambiar una condición laboral difícil y no pasa nada, igual deberías marcharte. Nunca estarás realmente abandonado.

Capítulo ocho. Más felicidad incluso con menos dinero

Esto mejoraría tu sensación de bienestar al trabajar en una carrera menos estresante que pueda ofrecer un salario más bajo pero que te permita pasar más tiempo haciendo aficiones placenteras y relajantes (Dalai Lama 2003). Nadie en su lecho de muerte desea realmente pasar más tiempo ganando dinero en el trabajo. Básicamente, la suma de afecto que hemos expresado por los demás es lo único que llevaremos con nosotros al salir de nuestros cuerpos.

Las ansiedades materialistas construyen un círculo giratorio. Cuantos más ingresos crean las personas, más recursos encuentran que les gustan. Cuanto más ganen los trabajadores la satisfacción del ego en

499

el trabajo, más prestigio buscarán. La gente que vive en casas caras y con aire acondicionado tiende a suicidarse (Amritaswarupananda 1989). Lo único que deberíamos hacer es airear nuestro cerebro cuestionando si querríamos funcionar en un lugar de trabajo realmente exigente que perjudique nuestro bienestar físico, mental y moral.

Cuando mantienes tu trabajo toda la vida, te estás preparando para el dolor mental cuando finalmente dejes la empresa o te retires. Vivir una existencia sana es más fácil, encontrando espacio para una vida social gratificante y haciendo cosas agradables fuera del trabajo.

Entre las PAS hay una gran variedad de presiones y excitaciones laborales que podemos manejar. Encontrarás tu propio equilibrio entre los trabajos aburridos y los que son demasiado difíciles. Conozco a algunos grandes fenómenos que buscan a personas que no son PAS y que sobresalen en un puesto bien remunerado en la tensión laboral. Les ofrece la emoción de alcanzar objetivos por la adrenalina, equivalente a la de un jugador de fútbol que marca un touchdown contra un enemigo desalentador. Sin embargo, la misma situación en el lugar de trabajo provocará con toda seguridad una respuesta de ansiedad severa para las personas extremadamente reactivas.

A menudo puedes sentirte atrapado en una situación laboral difícil. De hecho, la condición laboral sigue cambiando porque estás abierto a diferentes posibilidades. Connie, una de mis alumnas, de unos 40 años, era una mujer PAS de alta sensibilidad. Había trabajado como asistente administrativa en una pequeña empresa.

Lamentablemente, su supervisor le aumentaba constantemente la carga de trabajo y acababa empezando a las 8 de la mañana seis días a la semana. Hacia las 7 de la tarde y en cualquier trayecto, conduciendo durante una hora. Experimentaba insomnio y problemas de estómago debido al excesivo estrés laboral.

Connie pensaba que quería tener esos ingresos para poder pagar sus grandes deudas porque no existía ningún otro empleo bien remunerado cerca de su casa. Connie me dijo que había crecido en una caravana y que seguía teniendo la fantasía de alojarse en una casa de lujo. Nunca se había planteado ir. Le sugerí que examinara si podía encontrar otro puesto mejor remunerado más cerca de su casa. Anunció, después de muchas semanas de convencerla de que buscara otra carrera, que por fin había encontrado un puesto cerca de su casa que trabajaba sólo cuarenta horas a la semana y que compensaba más o menos lo mismo que su anterior trabajo de más de sesenta horas a la semana.

Capítulo nueve. Cómo reducir el estrés en el trabajo

Muchos enfoques diferentes ayudarán a crear un entorno de trabajo más tranquilo.

Recuerda cuáles de estas recomendaciones son alemanas para tu lugar de trabajo en este segmento e intenta incorporar algunos de los conceptos anteriores a tu situación laboral.

Se puede utilizar música de fondo tranquilizadora para reducir o eliminar el ruido ambiental en el trabajo. La mayoría de las PAS me han dicho que también escuchan música, usando un auricular y algunas tienen tapones en el trabajo. Coloca imágenes inspiradoras de entornos naturales, como paisajes terrestres o marinos, o fotos de familiares. Si trabajas bajo luces fluorescentes o en un entorno urbano de interior, tus nervios se calmarán contemplando la naturaleza. Si llevas flores y plantas a tu oficina también puede servir de apoyo. Inhalar el dulce aroma de las rosas o contemplar un elegante ramo puede calmar el sistema nervioso. Rodéate de felicidad viendo vídeos de familiares y amigos. Asegúrate de tener una silla agradable para sentarte y calmar tus músculos durante la jornada laboral. Para tu silla, deberías comprar una almohadilla calmante que te permita frotar el estrés electrónicamente a lo largo del día.

Primero, si es necesario, reduce el número. Deja que el timbre te alerte para calmar tu cuerpo, respira lenta y profundamente y di una frase como "paz". No contestes al teléfono hasta el tercer o cuarto timbre, si es necesario. Relájate cómodamente con esos pocos segundos (Hanh 1991).

Tener un plan de trabajo diario para cada estrés es una buena idea, en lugar de apresurarse a entrar en un día de trabajo ajetreado cada mañana de forma automática. Cuando llegues al trabajo por primera vez, concéntrate en meditar o en hacer una respiración abdominal constante e intensa durante unos instantes. Revisa el programa de trabajo del día y acuerda una expectativa realista de las tareas que hay que hacer, a pesar de la sensibilidad. Considera la posibilidad de organizar periodos de descanso durante algún tiempo, e intenta realizar una relajación muscular incremental en el puesto de trabajo.

Las características de la PAS de ser muy concienzuda y de sentirse fácilmente abrumada por la presión del tiempo, como hemos visto, intensificarán potencialmente la tensión. Cuando veas que las expectativas del día son demasiado desalentadoras, considera la posibilidad de reducir las tareas o comunicárselo a tu jefe. Sé racional, y no generes más estrés forzándote a sobrepasar tus límites.

He aprendido a decir que no para asumir trabajo extra y obligaciones personales. Aunque sigo sintiéndome culpable cuando digo que no, una mayor ansiedad es la solución para mí, ya que siempre sé que tengo que llevar a cabo cualquier decisión que tome. No obstante, si sé que mi motivación es alta y tengo tiempo libre, a menudo me ofrezco como voluntaria sobre la marcha para ayudar en cosas a las que antes no quería contribuir. Este enfoque de ayudar a los demás parece encajar de forma natural con la personalidad PAS, ya que utiliza el rasgo de simpatía sin sentirse abrumado por las posibles obligaciones.

Dado que las PAS se ven influenciadas rápidamente por los estados de ánimo de otras personas, puedes componer, hablar y teclear más rápido mientras operas con otras personas bajo la presión del tiempo, lo que exacerba la ansiedad. Podrías poner una nota en tu escritorio que te anime a operar lentamente, en lugar de dejarte arrastrar por los estados de ánimo frenéticos de tus compañeros de trabajo. Deberían asegurar a tus compañeros que los trabajadores del tipo A destacan por su comportamiento inmediato, productivo y agresivo a pesar de su periodo, no a causa de él. A continuación, haz una pausa para considerar que la liebre hiperactiva vence a la tortuga renqueante.

El uso de la aromaterapia, que es la inhalación de las fragancias de los aceites esenciales vaporizados, es otra forma exitosa de crear tranquilidad laboral.

El aroma de algunos aceites esenciales ha demostrado ser eficaz contra la tensión y ayuda a crear alivio (Worwood 1997). Una investigación, por ejemplo, descubrió que los errores de teclado disminuían en más de un 50% cuando el aroma de limón se extendía en una oficina (Worwood 1997).

Si estás atrapado en el trabajo todo el día, hay que hacer pausas para hacer ejercicio o estiramientos con regularidad. La meditación sobre la marcha mencionada en el capítulo 2 puede ser una pausa eficaz. Siempre puedes extenderte, incluso en tu silla cuando estés sentado.

Continúa haciendo una relajación gradual cada hora durante unos instantes, visualizando que todos los músculos de tu cuerpo se relajan cada vez más mientras realizas unas cuantas respiraciones largas y lentas. Recuerdo que una estudiante trabajaba en una consulta médica muy ajetreada y me dijo que no tenía tiempo para hacer un solo descanso en todo el día.

Sin embargo, cuando estaba sentada en su consulta, decidió utilizar la estimulación radical y descubrió que era bastante eficaz para reducir la tensión.

Si tienes visitas o empleados que acuden a tu oficina, es posible que quieras tener a mano algunas revistas edificantes para crear un ambiente tranquilo. Además, servir té de hierbas relajante y golosinas nutritivas de frutas es otra forma eficaz de crear un entorno de trabajo tranquilo.

Muchas empresas sociales y grandes venden a sus trabajadores gimnasios y espacios para conferencias. Quizá quieras explorar la posibilidad de crear un espacio terapéutico con tu jefe. Puede que descubras que la productividad de los trabajadores podría aumentar si tuvieran un espacio tranquilo durante el día para meditar en pequeñas pausas. Una habitación tranquila y oscura es un regalo del cielo para las PAS que trabajan en un entorno relajante.

Para ayudar a mejorar la unidad en el trabajo, recomienda instalar un buzón de sugerencias (Zeff 1999) con su jefe. Dado que la PAS puede tener muchas preocupaciones y sentirse avergonzada de pedir mejoras, sería útil que el buzón de sugerencias fuera confidencial. Además, el buzón de sugerencias puede dar la oportunidad de expresar su opinión a las personas que no son PAS, que pueden sentirse un poco molestas por algunas de las mismas condiciones.

A las PAS con insomnio les suele resultar estresante estar operando todas las mañanas temprano. Pide a tu empleador que te permita ir al trabajo a cambio de acortar la hora de la comida o de ir un poco más tarde en el día. Un estudiante me dijo que no le costaba tanto dormirse porque no tenía que estar en el trabajo cada mañana temprano. Se recordaba a sí mismo que siempre podía dormir a la mañana siguiente, así que no importaba si tardaba en dormirse.

Sin embargo, si le gusta ir a trabajar temprano, empezar el día de forma tranquila y con pocas interrupciones puede ser útil para las PAS. Cuando los demás trabajadores llegan, usted ya ha terminado su jornada de forma pacífica. Así, podrá volver a casa temprano, antes del tráfico de la hora punta, y después del trabajo tendrá la oportunidad de echarse una siesta o dar un paseo por un parque. Si puede trabajar desde casa, experimentará con su jefe, lo que es perfecto para las PAS. Cada vez hay más trabajadores que trabajan desde su casa a tiempo parcial o completo, lo que realmente reduce la sobreestimulación para la PAS.

Tenga en cuenta que tener relaciones interpersonales exitosas en el trabajo es uno de los factores más importantes de la satisfacción laboral. Cuando uno se siente seguro de sí mismo, puede tener un efecto positivo en sus relaciones interpersonales en el trabajo. Cuando se sienta ansioso, la ansiedad se intensificará entre sus compañeros. Sin embargo, los compañeros también se tranquilizarán si haces pausas regulares para meditar y utilizas otros métodos calmantes para crear paz interior. Si mantienes el sentido del humor y sonríes a menudo, los sentimientos de alegría y felicidad en el trabajo pueden desarrollarse.

Cómo manejar la baja autoestima y el estrés laboral

Muchas personas permanecen atrapadas en una posición que eleva su tensión, ya que creen sinceramente que se lo merecen. Las PAS a las que se les ha informado de que son defectuosas de pequeñas pueden reproducir sin querer una familia disfuncional en el trabajo. A veces, en una situación laboral opresiva, las PAS con baja autoestima pueden sentirse finalmente seguras de sí mismas.

Mary, una mujer PAS soltera de casi 50 años, trabajó como directora en una gran empresa durante veinticinco años. Me contó que, debido a su vulnerabilidad, tuvo una infancia traumática y abusiva. Dijo que, debido a su cruel y desconsiderado empleador, su carrera era un infierno. Además de sufrir ansiedad y depresión, experimentó complicaciones cardíacas que su médico describió como potencialmente debidas a la tensión laboral. Sin embargo, María se negó rotundamente a contemplar la posibilidad de dejar su trabajo por miedo a perder su cuantiosa pensión.

Aconsejé a María que podría no estar para recibir su pensión si seguía trabajando con tanto dolor. Pudo cambiar las cosas en su vida después de entrar en la asesoría y finalmente se dio cuenta de por qué se había acostumbrado a vivir en un entorno abusivo. Finalmente, Mary dejó su trabajo y aceptó un puesto de instructora en un colegio menor. Aunque tenía mucho menos sueldo y beneficios, su salud mejoró.

Si quieres probar un cambio de carrera, hay literalmente cientos de trabajos atractivos y poco estresantes disponibles. Cuando estamos abiertos a soluciones nuevas y creativas, existen muchas posibilidades.

Creando un trabajo nuevo y sin estrés

Los estudiantes también afirman que se sienten frustrados con su trabajo, y quieren explorar una nueva área. El consejo general es que sean realistas a la hora de perseguir nuevas ambiciones profesionales. Si tienes un trabajo bien remunerado, dejarlo de repente puede no ser útil. En primer lugar, menciona tus habilidades transferibles, y luego evalúa si adaptas tus capacidades a otras vocaciones. Además, te sugerimos que consideres la posibilidad de trabajar en el campo en el que te gustaría operar. El voluntariado es una forma ideal de adquirir conocimientos que, a su vez, podrían contribuir a un trabajo remunerado.

Una alternativa es empezar a trabajar a tiempo parcial en un nuevo campo y decidir si es posible que esa función se convierta en una carrera competitiva a tiempo completo.

Haz una investigación sobre un nuevo trabajo

Realiza un estudio del mercado laboral antes de embarcarte en una nueva línea de trabajo.

Pregunta al menos a 10 personas que trabajen en el campo al que te gustaría dedicarte. Habla sobre los niveles actuales de contratación, salarios y credenciales, así como sobre las exigencias físicas y emocionales del trabajo. Dedica algo de tiempo a observar el nuevo clima laboral. Es necesario, como PAS, determinar objetivamente si el papel es ideal para una persona sensible. Presta mucha atención a la cantidad de dolor, al entorno laboral y a las horas de trabajo. Como las PAS suelen transmitir sus conocimientos de forma gradual, se necesita mucho tiempo para realizar un estudio del mercado laboral. No te sobrecargues con demasiados datos ni intentes tomar una decisión rápida.

Trabajar en un campo que se adapte a tu personalidad e intereses es importante. Es posible que quieras visitar a un mentor laboral que pueda informarte sobre las diferentes oportunidades profesionales. Cada PAS en crecimiento es especial. Mientras que a una PAS que encuentra una gran sensación en el lugar de trabajo le puede encantar la relajación suave, otra PAS aborrecerá la tarea. La mayoría de las PAS tendrían problemas para trabajar en un puesto en el que el horario cambiara constantemente o en el que el trabajo se trasladara

al cementerio (de 11 de la noche a 7 de la mañana).

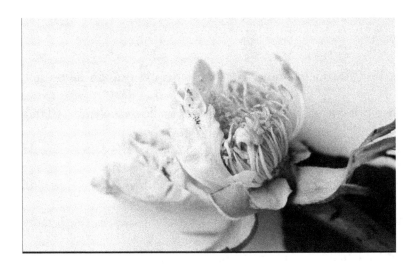

Capítulo diez. Convertirse en trabajador independiente

Para las PAS que no quieren trabajar bajo la presión de un jefe, el trabajo por cuenta propia puede ser una opción excelente. "El trabajo por cuenta propia es una vía lógica para las PAS", dice Elaine Aron. Controlan las horas, el estrés, el tipo de personas con las que trabajas y no hay problemas con los jefes o los compañeros. "Pero también señala que tienes que estar atento a ser un perfeccionista para exigirte tanto. También tienes que estar dispuesto a tomar decisiones difíciles. Incluso, advierte que no hay que aislarse demasiado.

Si trabajas solo, es importante que te reúnas regularmente con tus colegas para que te ayuden.

Las PAS introvertidas también podrían enfrentarse a varias dificultades con la dimensión de marketing del autoempleo.

Es necesario realizar una investigación exhaustiva antes de comenzar el autoempleo en cuanto a la viabilidad del rendimiento para tu nuevo objetivo vocacional. Elegir un área en la que no tengas que estar operando las 24 horas del día es significativo. Determina si el producto o servicio que te dispones a ofrecer es necesario en la zona geográfica propuesta. Así podrás realizar una encuesta y evaluar el número de otras personas o empresas que ofrecen el mismo producto o servicio. Averigua lo que cuesta la competencia y lleva a cabo una estrategia financiera detallada para todas las facetas de la empresa prevista, incluidos los costes, los gastos generales, las promociones y los salarios. Luego tienes que averiguar cómo comercializar tu producto o servicio y ponerte al día sobre todos los impuestos y licencias necesarios. Por último, decide cuánto tiempo te llevará completar todas las facetas de tu trabajo.

CONCLUSIÓN

¡Gracias por leer todo este libro!

¿Qué haces cuando un pariente o compañero parece tener más miedo a la intimidad que tú, por ejemplo, cuando todo indica que tú y tu pareja son valiosos para ese otro individuo, pero tú no estás conectado con ambos?

Evidentemente, arengar al otro para que sea más digno de confianza no mejora. Por lo tanto, la única estrategia es hacerse aún más personal, franco y vulnerable, sea cual sea el resultado. No es una tarea fácil. La gente que teme la confianza puede ser muy punzante y crítica; es la mejor defensa, como atestiguaría un cactus. Pero si puedes, estate disponible de todos modos. Ser más independiente y diferente ayudaría enormemente a que te sientas seguro dentro de ti mismo, independientemente de la respuesta que recibas. En cierto sentido, así tienes menos que arriesgar. Adquiere experiencia sobre todo para saber la diferencia entre lo que puedes y lo que no puedes cambiar. Sí, tú quieres crecer y cambiar, e idealmente tu cónyuge también. En esto, desean ayudarse mutuamente fomentando la mejora. Pero uno de los mayores pasos en el desarrollo es abrazarse mutuamente:

aceptar la inevitable frustración de las limitaciones hereditarias de su relación, comprender que cada individuo es un "paquete" y que "cuando eliges un cónyuge, eliges un conjunto de problemas". Es casi la naturaleza de la sabiduría aceptar los límites de la existencia y de la muerte, ser feliz con lo que tienes durante el mayor número posible de momentos del día. Hay algo más de un cincuenta por ciento de posibilidades de que seas más feliz con tu pareja cuando estás con otra PAS que cuando estás con una no PAS. Esto se refiere especialmente a las PSH. Los que están en parejas de PSH / PAS suelen decir que están relacionados con sus cónyuges.

También podríamos decir que es una buena noticia que tantas PAS se hayan conocido, debido a su mayor probabilidad de ser introvertidas, reservadas o simplemente felices de quedarse solas en casa los sábados por la noche. Para demostrar mi punto de vista, añadiría tres conjuntos de PAS preguntándoles cómo se conocieron y se enamoraron. Sus relatos hacen pensar que existe un poderoso cupido o ángel de la guarda encargado únicamente de la misión de unir a las PAS.

You have already taken a step towards your improvement.

¡Mis mejores deseos!

CPSIA information can be obtained
at www.ICGtesting.com
Printed in the USA
BVHW092340040621
608822BV00003B/353